CABALA

Francisco Valdomiro Lorenz

NOÇÕES ELEMENTARES DE

CABALA

A tradição esotérica do Ocidente

Editora
Pensamento
SÃO PAULO

17ª edição 2011.
1ª reimpressão 2015.

Coordenação editorial: Denise de C. Rocha Delela e Roseli de S. Ferraz
Projeto gráfico e diagramação: Vania Vieira
Preparação de originais: Lucimara Leal
Revisão de língua portuguesa: Isabella Lotufo

Dados Internacionais de Catalogação na Publicação (CIP)
(Câmara Brasileira do Livro, SP, Brasil)

Lorenz, Francisco Valdomiro, 1872-1957.
Noções elementares de cabala : a tradição esotérica do Ocidente / Francisco Valdomiro Lorenz. -- 17. ed. -- São Paulo : Pensamento, 2011.

ISBN 978-85-315-0067-1

1. Cabala 2. Esoterismo 3. Hebraico - Alfabeto - Aspectos religiosos - Judaísmo 4. Misticismo judaico I. Título.

10-12231 CDD-296.16

Índices para catálogo sistemático:
1. Cabala : Judaísmo 296.16

Direitos de tradução para a língua portuguesa
adquiridos com exclusividade pela
EDITORA PENSAMENTO-CULTRIX LTDA.
Rua Dr. Mário Vicente, 368 – 04270-000 – São Paulo, SP
Tel. (11) 2066-9000 – Fax (11) 2066-9008
e-mail: atendimento@editorapensamento.com.br
www.editorapensamento.com.br
que se reserva a propriedade literária desta tradução.
Foi feito o depósito legal.

Aos caríssimos e nobres irmãos
Antônio Olívio Rodrigues
e
Honório Alves de Oliveira Castro
o autor dedica este pequeno livro

Sumário

Prefácio à primeira edição, de 1917

Como até a presente data não foi publicada, em português, obra alguma sobre a Cabala, resolvi elaborar este modesto livro para poderem os nossos estudantes de esoterismo apreciar devidamente este ramo da ciência oculta e comparar as suas doutrinas com os ensinamentos da teosofia e do espiritismo.

Aos que desejam aprofundar os seus conhecimentos, recomendo o estudo das obras de Papus (*La Cabbale; Traité Méthodique de Science Occulte; Le Tarot des Bhoémiens*), Elifas Lévi (*Dogma e ritual da alta magia*); Fabre d'Olivet (*La Langue Hébraique Restituée*), Stanislas de Guaita (*Au Seuil du Mystère*), Le-nain (*La Science Cabbalistique*), St. Yves d'Alveydre (*La Théogonie des Patriaches*), dr. José A. Alvarez de Peralta (*Iconografia Simbólica de los Alfabetos Fenicio y Hebraico*).

No presente livro, os leitores encontrarão também uma nova tradução dos cinco primeiros capítulos do Gênesis, sob o título: "A cosmogonia de Moisés", que fiz baseando-me nos trabalhos de Fabre d'Olivet e St. Yves d'Alveydre. Queiram fazer uma criteriosa comparação entre esta tradução e a versão vulgar que acham em qualquer Bíblia, para avaliar a enorme diferença entre o sentido literal e o esotérico.

Moisés escreveu a sua obra em estilo simbólico, como era costume dos antigos iniciados. Ele deixou para a compreensão do seu livro explicações orais que foram esquecidas, com pequenas exceções, pelos exegetas posteriores; só alguns iniciados as conservaram.

Com o decorrer dos séculos, mudou-se o caráter da língua do povo hebreu, misturando-se com elementos estrangeiros, de maneira que, seiscentos anos antes da era cristã, os judeus não compreendiam mais a língua de Moisés, usando de um dialeto sírio-arameu. O conhecimento do verdadeiro sentido esotérico conservou-se somente entre os essênios.

Também nas traduções posteriores não foi apresentado senão o sentido exterior da Bíblia, e assim aconteceu que a cristandade recebeu e venera este livro, sem o compreender, porque os tradutores ignoram a verdadeira língua de Moisés.

A nossa tradução provará aos leitores que o verdadeiro texto da Bíblia é bem diferente do texto vulgar e que Moisés, longe de ser um ignorante, como afirmam muitos cientistas por conhecer somente as versões vulgares, foi um mestre de grande saber.

Francisco Valdomiro Lorenz
São Feliciano, Rio Grande do Sul, maio de 1912

Introdução

Cabala* é a tradição oculta ou esotérica dos Hebreus. Conforme afirmam os rabinos, Enoque a ensinou ao patriarca Abraão,** e este a transmitiu oralmente a seus filhos e netos. Os livros fundamentais em que se acha exposta são os livros de Moisés (*Sepher Mosheh*, o Pentateuco).

O grande libertador dos israelitas, que tinha penetrado no santuário do Egito e fora iniciado nos mistérios, escreveu os seus livros em estilo simbólico, servindo-se da língua egípcia. Esta língua, porém, que havia chegado ao mais alto grau de perfeição, não pôde conservar-se em sua pureza nas mãos de um povo rude, que vivia como nômade nos desertos da Idumeia.

Moisés o sabia e, por isso, prevendo a sorte que aguardava o seu livro e as falsas interpretações que lhe seriam dadas no decorrer dos tempos, confiou as chaves de sua obra a homens seguros, cuja fidelidade tinha sido

---

* Esta palavra, que provém do verbo hebraico *Kabôl* = transmitir, também se escreve: *Qabbalah*.

** O mito de Abraão indica, como demonstrou st. Yves d'Alveydre, a passagem da tradição hindu ou oriental ao Ocidente; *Abraão* = *Ab-Ram*, o pai *Ram*; ou talvez *Braman*.

comprovada, dando-lhes de viva voz os esclarecimentos necessários para a compreensão da Lei (Torá).

Os discípulos de Moisés confiaram esses ensinos secretos a outros homens que, transmitindo-os, por sua vez, de geração em geração, fizeram que chegassem à posteridade mais longínqua. Essa doutrina esotérica, que, afirmam os rabinos, se conservou pura até nossos dias, é a Cabala.

Na época em que Moisés vivia, o templo de Tebas (capital do reino) continha os arquivos sacerdotais da extinta raça vermelha ou atlântica e os da Igreja de Ram, cuja sede era na Índia.

Moisés foi iniciado em todas essas ciências, e além disso colheu os mistérios mais puros da raça negra no templo de Jetro, o último sobrevivente dos hierofantes dessa raça. Assim, a tradição oral, que o célebre legislador deixou aos setenta eleitos, continha os pontos essenciais de todas as tradições ocultas que haviam aparecido no globo terrestre.

É admitido pelos ocultistas que os livros de Moisés foram escritos em caracteres Vattam, e que, mais tarde (no século VI a. C.), Esdras os substituiu pelos caracteres hebraicos quadrados, em que os achamos escritos atualmente.

Moisés entregou a Josué as chaves da tradição oral, mas não foi nas mãos da tribo sacerdotal de Lévi que se conservaram, e sim nas comunidades leigas de profetas e videntes, das quais a mais notável foi a seita dos essênios.

Para conservar inalterado o texto dos livros sagrados, leitores e copiadores eram obrigados a observar certas regras fixas sobre a maneira de ler e escrever, que constituíam uma parte da tradição – e chamavam-se *Massorah*.

Os livros de Moisés eram lidos publicamente ao povo, todos os sábados, na sinagoga; os comentários feitos a eles eram, a princípio, orais, porém mais tarde foram escritos, e assim se formou uma literatura escolástica, conhecida sob o nome de Talmude, que consta de quatro partes:

1) *Mishnah*, ou tradição primitiva de Moisés e dos grandes profetas, tratando das sementes, das festas, do matrimônio, dos processos, das oferendas sagradas e das purificações.
2) *Ghemarah*, um verdadeiro compêndio de jurisprudência.
3) *Midrashim* e *Targumim*, comentários e paráfrases.
4) *Thosiphthah*, suplementos.

Assim como a *Massorah* forma o corpo da tradição, tratando de tudo o que se refere à parte material da Bíblia, o Talmude representa a vida, por ser o seu objetivo a jurisprudência, os costumes, as cerimônias e as relações sociais.

A Cabala ou doutrina secreta, porém, é a alma ou o espírito da tradição; é a sua parte religiosa e filosófica.

Divisão da Cabala

O ensinamento tradicional na Antiguidade era trino, isto é, ao mesmo tempo histórico, moral e místico, de maneira que as Escrituras Sagradas contêm um triplo sentido, a saber: o literal, histórico (*pashut*), que corresponde ao corpo e ao átrio do templo; o moral (*derush*), que se dirige à alma e pertence ao lugar santo do templo; e o místico (*sod*), que representa o Espírito e o Santíssimo.

Começando com Esdras, a interpretação dos textos sagrados tornou-se quádrupla, porque entre o sentido literal e o moral incluía-se o sentido alegórico (*remmez*).

O sentido místico encontra-se na Cabala, que se divide em teórica e prática.

CABALA TEÓRICA

Esta parte contém as tradições patriarcais sobre o santo mistério da Divindade; sobre a Criação espiritual e a queda dos anjos; sobre a origem do caos e da matéria, e sobre a renovação do mundo nos sete dias da Criação; sobre a criação do homem visível, sua queda e os caminhos divinos que conduzem à sua reintegração. Em outras palavras, a Cabala teórica trata:

1) da obra da Criação – (*Maasseh Bereshit*).
2) da Essência Divina e seus modos de manifestação, a que os cabalistas dão o nome de Carro Celeste (*Merkabah*).

A obra da criação é descrita no *Sepher Ietsirah* (Livro da Formação), que explica a formação de todos os entes e de todas as coisas, e trata dos 32 Caminhos da Sabedoria e das 50 Portas da Inteligência.

A descrição do "Carro Celeste" é contida no *Sepher ha-Zohar* ou Livro do Esplendor, que trata dos atributos da divindade (as dez *Sephiroth*), dos quatro mundos, do bem e do mal, da alma humana e da salvação final.

Esse livro foi escrito por Simeão ben Jochai, por ordem vinda do Alto, quando a tradição oral não podia mais perpetuar-se no meio da dispersão do povo israelita.

Os cabalistas cristãos juntam a estas duas obras principais (*Sepher Ietsirah* e *Zohar*) ainda o Apocalipse de são João, que desvenda as realizações da ciência no campo do amor e da caridade.

Todas as três, porém, têm por base a cosmogonia de Moisés (*Sepher Bereshit* ou Gênesis).

CABALA PRÁTICA

A parte prática ou mágica da Cabala ainda é pouco conhecida, porque se conserva secreta, sendo apenas indicada em alguns raros manuscritos, conhecidos sob o nome de Clavículas de Salomão.

A Cabala prática explica o sentido espiritual da Lei, prescreve o modo de purificação que assimila a alma à Divindade e ensina a meditação sobre os símbolos e Nomes sagrados, como o meio de agir nas esferas visível e invisível. Para esse fim, estuda a semântica das letras hebraicas, trata de várias transposições de letras que constituem palavras e das operações teosóficas de adição e redução dos números correspondentes às letras.

A obra mais importante que serve de chave a essas operações é o Tarô, livro hieroglífico e numeral, que consta de 22 folhas e que os boêmios nômades possuem ainda hoje. O Tarô é o pai de todos os nossos jogos de cartas; as cartas espanholas conservam os principais signos do Tarô primitivo.

Os Tarôs mais antigos eram medalhas, das quais mais tarde se fizeram talismãs.

As Clavículas de Salomão compõem-se de 36 talismãs com 72 figuras análogas às do Tarô.

O alfabeto hebraico

O alfabeto hebraico consta de 22 letras, que se escrevem da direita para a esquerda e servem também para exprimir os números.

São as seguintes:

CARACTERES	NOMES	TRANSCRIÇÃO E PRONÚNCIA	VALOR NUMÉRICO
א	aleph	A (e, i, o, u)	1
ב	beth	B	2
ג	ghimel	G (gutural, gue)	3
ד	daleth	D	4
ה	hê	H aspirado (alemão)	5
ו	vô	V	6
ז	zain	Z	7
ח	cheth	Ch alemão ou J espanhol	8
ט	teth	T	9
י	iod	I (j)	10
כ	khaph	Kh (aspirado)	20

CARACTERES	NOMES	TRANSCRIÇÃO E PRONÚNCIA	VALOR NUMÉRICO
ל	lamed	L	30
מ	mem	M	40
נ	nun	N	50
ס	samekh	S (=ç)	60
ע	kwain	Hw (como rr muito gutural)	70
פ	pe (phe)	P no princípio, Ph ou F no meio de palavras	80
צ	tsade	Ts	90
ק	koph	K (mais áspero que Kh)	100
ר	resh	R	200
ש	shin	Sh (ch ou x português)	300
ת	thô	Th (aspirado)	400

Cinco letras hebraicas têm formas diferentes quando se acham no fim de palavras:

CARACTERES	NOMES	TRANSCRIÇÃO E PRONÚNCIA	VALOR NUMÉRICO
ך	khaph	Kh (aspirado)	500
ם	mem	M	600
ן	nun	N	700
ף	phe	Ph = F	800
ץ	tsade	Ts	900

Se compararmos os nomes correspondentes às letras do alfabeto hebraico com as do grego, reconheceremos uma grande semelhança, ficando claro que ambos têm uma origem comum, como já nos provam os primeiros nomes:

Aleph .... Alfa
Beth .... Beta
Ghimel .... Gama
Daleth .... Delta

O grego, entretanto, não tem letras correspondentes a *tsade*, *koph* e *shin*, e possui algumas que são desconhecidas ao hebraico.

A significação esotérica (vulgar) dos nomes das letras hebraicas lembra os antigos hieróglifos, dos quais essas letras evoluíram.

Assim, a primeira letra (A) chama-se *Aleph*, isto é, "touro", porque antigamente o som A se exprimia por uma figura que era um tosco desenho representando esse animal, que chefia as tropas de gado.

Beth significa "casa" ou "tenda"; *ghimel*, "camelo"; *daleth*, "porta"; *he*, "sebe"; *vô*, "gancho"; *zain*, "arma"; *cheth*, "cinta"; *theth*, "serpente"; *iod*, "mão"; *khaph*, "palma da mão"; *lamed*, "aguilhão"; *mem*, "água"; *nun*, "peixe"; *samekh*, "cobra"; *kwain*, "olho"; *pe*, "boca"; *tsade*, "casa"; *koph*, "occipício"; *resh*, "cabeça"; *shin*, "dente"; thô, "sinal".

Para os cabalistas, porém, simbolizam as seguintes ideias:

Aleph – o homem
Beth – habitação
Ghimel – órgão
Daleth – divisibilidade
He – sopro vital
Vô – luz, clareza
Zain – tendência
Sheth – trabalho
Teth – abrigo
Iod – mando e duração
Khaph – forma
Lamed – elevação, desenvolvimento
Mem – mulher
Num – fruto
Samekh – movimento circular
Hwain – matéria
Pe – boca, palavra
Tsade – termo
Koph – instrumento cortante
Resh – cabeça humana
Shin – duração relativa
Thô – reciprocidade

As letras do alfabeto hebraico são todas consoantes; assim, o *Aleph* não representa exatamente a vogal *a*, mas o hálito que acompanha qualquer vogal; *iod* é o *i* consoante (como em "maio"; *j* em alemão, *y* em inglês).

Para indicar as vogais, juntam-se às letras alfabéticas certos sinais, chamados pontos vocálicos ou massoréticos, que se escrevem embaixo das letras; somente *ô* e *ú* (longo) fazem exceção, pois formam-se da letra *vô*, a que se junta um ponto em cima para indicar *ô*, e no meio para *ú*.

Um ponto dentro de uma consoante se chama *daghesh* e indica que ela é dobrada.

Os pontos vocálicos são os seguintes:

◌ִ	i		◌ָ	á	(longo)
◌ֵ	ê	(fechado e longo)	◌ֻ	u	(breve)
◌ֶ	é	(aberto)	◌ֳ	o	(breve)
◌ְ	e	(surdo)	וֹ	ô	(longo)
◌ַ	a	(breve)	וּ	ú	(longo)

Exemplos:

אָב	*áb* (pai)
אֵם	*êm* (mãe)
אוֹר	*aôr* (luz)
יוֹסֵף	*Iôsêph* (José)
מֶלֶך	*mélékhe* (rei)
חַמַּיִם	*hammáim* (as águas)
קַבָּלָה	*Kabbalah*

Para as operações cabalísticas é necessário observar só as letras alfabéticas, sem os pontos vocálicos, porque estes só foram introduzidos no século VI a.C. Parece que, originariamente, o alfabeto continha também vogais, sete, a saber: *A*, representado por *Aleph*; *E*, por *He*; *Ê*, por *Cheth*; *O* e *U*, por *Vô* com os pontos diacríticos; *I*, por *Iod*; e *Œ*, por *Hwain*.

Assim, pode-se ler o hebraico de dois modos: com ou sem a observação dos dois pontos vocálicos.

Quando transcrevemos alguma palavra só com letras maiúsculas, indicamos apenas as letras alfabéticas, omitindo os pontos massoréticos. Por exemplo, a palavra que se escreve com *Iod*, *He*, *Vô*, *He*, lê-se IEVE ou JEOVÁ (IeHOaH).

A palavra escrita com *Aleph*, *Lamed*, *He*, *Iod*, *Mem* lê-se ALHIM ou (LEIM) ou Eloim. O nome Eva escreve-se com *He*, *Vô*, *He*; a pronúncia massorética é *Chavváh*; a pronúncia dos que não admitem os pontos massoréticos é *Éve*.

A semântica das letras

A língua de Moisés é tão lógica que representa sempre três sentidos: um natural ou material, um simbólico e um espiritual. Para descobrir o sentido simbólico e o espiritual, é necessário conhecer o valor semântico das letras.

Por isso, apresentamos aqui o significado das letras do alfabeto hebraico:

- *ALEPH* (A). Sendo o primeiro som que o ser humano articula e a primeira letra do alfabeto, exprime a ideia de unidade e do princípio; designa a causa, a força, a atividade; o poder, a estabilidade; o homem como unidade coletiva.
- *BETH* (B). Designa o interior e ativo; o poder plasmante, o germe, a paternidade, o Criador, a habitação, o objeto central.
- *GHIMEL* (O). É o sinal de organismo, expressão de envolvimento material do corpo, seus órgãos e funções.
- *DALETH* (D). Denota a natureza divisível, abundância, divisão, nutrição.
- *HE* (H, E). É símbolo de fôlego, princípio vivificante, vida absoluta e de toda ideia abstrata do ser; alma, espíri-

to; como sufixo designa o feminino e, às vezes, exprime a veneração.

• *Vô* (V). Esta letra é como um nó que liga ou um ponto que separa o ser e o não ser. É o sinal convertível universal, que faz passar de uma natureza a outra. Pode ser vogal ou consoante; como vogal tem dois sons: A, sinal de luz espiritual, claridade e clareza, limpidez, brilho; e U, sinal do som e do ouvido. *Vô* é o símbolo do Verbo, isto é, da Palavra interior, da Luz do intelecto. Gramaticalmente, serve para verbalizar todas as raízes.

• *ZAIN* (Z). Designa a tendência, o esforço dirigido a um fim determinado, a causa final, a refração luminosa, a indicação.

• *CHETH* (Ch, pronunciado como em alemão). É sinal da existência elementar, rudimentar, protoplástica; exprime também equilíbrio, ideia de calor, trabalho e ação moral e legislativa.

• *TETH* (T). Indica resistência e proteção, teto, abrigo, refúgio, conservação, renovação, os dois princípios: o bem e o mal.

• *IOD* (I). Quando vogal, simboliza a Divindade (é o mais alto dos sons vogais); é imagem da manifestação potencial, duração espiritual, eternidade e do poder ordenador. Como consoante, designa duração material.

• *KHAPH* (K, aspirado). É o símbolo de assimilação, afinidade, coesão, matriz cosmogônica, vida refletida e passageira, forma, molde, modelo, objetos.

• *LAMED* (L). Exprime a ideia de extensão, elevação, ocupação, expansão, posse, instrução, desenvolvimento.

• *MEM* (M). É símbolo de maternidade, fecundidade, formação plástica, ação exterior, passividade; água, líquido, fluidez. Como letra final, exprime coletividade e pluralidade.

• *NUN* (N). Denota o ser produzido ou refletido, a existência individual e corporal, filho, fruto, geração. Como letra final, tem sentido aumentativo e dá à palavra toda a extensão individual de que a coisa exprimida é suscetível.

• *SAMEKH* (S). Simboliza o movimento circular, a circunferência, a redondez, a renovação cíclica, o universo.

• *HWAIN* (Hw ou X). Indica a ideia de matéria, as relações físicas, ruído, vento, vazio; o que é desarmônico, confuso, curvo, falso, perverso.

• *PE* (P ou Ph). Representa a palavra, a boca, o pensamento, o ensino, a cópula, a beleza.

• *TSADE* (Ts). Simboliza o pensamento fixo em algum propósito; vontade, ordem, sugestão, movimento determinado para certo fim; termo, alvo, solução, cisão.

• *KOPH* (K ou Q). É o símbolo de compreensão, arma ofensiva, golpe, ferida, dano; designa também voz, escrita, letra, lei.

• *RESH* (R). Representa a cabeça humana, a unidade psíquica do ser; a faculdade de sentir, querer e pensar; o movimento, a reflexão, a origem, a repetição.

• *SHIN* (Sh=ch ou x português). É imagem de renovação das coisas quanto a seu movimento; existência, duração relativa, transformação, vegetação, reinos da natureza.

• *THÔ* (Th, aspirado). Antigamente X (cruz), é o sinal dos sinais; simboliza a reciprocidade, a abundância, a resistência, a proteção e a perfeição.

Exemplos em palavras:

- *AL*, Deus (Unidade, poder, princípio × extensão, elevação).
- *GAN*, esfera orgânica; no sentido restrito: jardim.
- *HOH*, ser: é a raiz HH (he-he) verbalizada pela vogal O, ou *Vô*.
- *ACH*, irmão: a letra *Cheth* designa o equilíbrio, a igualdade.
- *NOACH* ou NOÉ: ponto de equilíbrio, repouso da natureza.
- *AMAR*, falar: A: o homem; M: concebe e dá à luz; R: o que sente, quer ou pensa.
- *ADAM* ou ADÃO: A: o homem; D: inteligente; M final: coletividade; porque Adão não é nome de pessoa ou indivíduo, mas de Homem Universal, isto é, da humanidade.

Mistérios do alfabeto hebraico

Deus criou todas as coisas com números, medida e peso, por isso, dizem os cabalistas, cada número contém um mistério e um atributo que se refere à Divindade ou a alguma inteligência.

Tudo o que existe na natureza forma uma Unidade pelo encadeamento de causas e efeitos, que se multiplicam ao infinito, e cada uma dessas causas se refere a um número determinado.

Os antigos rabinos e os cabalistas explicavam a ordem, a harmonia e as influências dos céus sobre o mundo pelas 22 letras do alfabeto hebraico.

Esse alfabeto designa:

1) Da letra *Aleph* até a letra *Iod*, o mundo invisível ou angélico, as inteligências soberanas que recebem as influências da primeira Luz Eterna que emana do Pai.

2) Da letra *Khaph* até *Tsade*, as diferentes ordens de anjos que habitam o mundo visível ou astrológico, regido por Deus o Filho, isto é, pela divina sabedoria que criou esta infinidade de globos que circulam na imensidão do espaço, tendo cada um seu protetor e diretor.

3) Da letra *Koph* a *Thô*, o mundo elementar, em que se

observa a ação do Espírito Santo, que dá alma e vida a todas as criaturas. Na esfera dos elementos, reina a ordem dos anjos que influem sobre o destino dos homens. Eles cuidam das gerações e da multiplicação das diferentes espécies de criaturas até o infinito.

Cada letra corresponde a um Atributo Divino que se designa por palavra que principia com a respectiva letra:
1. (*Aleph*) AHIH (*Aheieh*). "Sou o que sou", designa a essência divina invisível a todos os seres.
2. (*Beth*) BaChOR. Jovem (a Divindade nunca envelhece).
3. (*Ghimel*) GaDOL. Grande, imenso.
4. (*Daleth*) DaGOL. Insigne.
5. (*He*) HaDOM. Majestoso.
6. (*Vô*) VeZIO. Com esplendor.
7. (*Zain*) ZaKhaI. Imaculado.
8. (*Cheth*) ChaSID. Misericordioso.
9. (*Thet*) TeHOR. Puro.
10. (*Iod*) IaH. Deus eternamente vivo.
11. (*Khaph*) KhaBIR. Poderoso.
12. (*Lamed*) LiMUD. Sapientíssimo.
13. (*Mem*) MeBoRaKh. Bendito, abençoado.
14. (*Nun*) NoRA. Formidável.
15. (*Samekh*) SOMeKh. Apoio.
16. (*Hwain*) HwaZaZ. Forte.
17. (*Pé*) PoDeH. Redentor, salvador.
18. (*Tsade*) TsaDeK. Justo.
19. (*Koph*) KaDOSh. Santo.
20. (*Resh*) RoDeH. Governador.
21. (*Shin*) ShaDai. Providência.
22. (*Thô*) TheCHiNaH. Graça.

Cada uma das letras do alfabeto hebraico corresponde a uma ordem de inteligências ou espíritos.

No mundo angélico há:
1. HAIOTH HAKODESH. Seres santos, inteligências providenciais, a que a Igreja denomina serafins; são os espíritos mais próximos da Divindade.
2. OPHANIM. Isto é, formas ou rodas, movedores das rodas estreladas que desenvolveram o caos. A Igreja chama-os querubins.
3. ARALIM. Poderosos, os tronos; mantêm a forma da matéria.
4. HASHEMALIM. Lúcidos; são as dominações que distribuem as formas corporais.
5. SHERAPHIM. Ardentes de zelo, são as virtudes; produzem os elementos.
6. MALAKHIM. Reis, as potências; produzem os minerais.
7. ALHIM ou ELOIM. Os deuses ou enviados de Deus; o nome dado pela Igreja é principalidades; produzem os vegetais.
8. BENI ALHIM. Filhos de ELOIM (filhos dos deuses), são os arcanjos; produzem os animais.
9. KHERUBIM. Ministros do fogo astral, os anjos da guarda.
10. AISHIM. Heróis, as almas glorificadas, que comunicam à humanidade a inteligência, a indústria e o reconhecimento das coisas divinas.

No mundo astrológico há:
1. MITATROM. É a primeira inteligência soberana que governa o empíreo, o primeiro céu astrológico. Seu nome

significa "Príncipe da Face"; sua missão é introduzir todos aqueles que devem comparecer perante a Face de Deus. Tem abaixo de si o príncipe Orofiel e uma multidão de inteligências subalternas. Os cabalistas dizem que foi por intermédio de Mitatron que Deus falou a Moisés; é também por intermédio dele que todas as potências inferiores do mundo sensível recebem as virtudes de Deus.

2. RATsIEL. A primeira inteligência do segundo céu, o das estrelas fixas, sobretudo os doze signos do zodíaco.
3. SHEBTAIEL. A primeira inteligência do terceiro céu, Saturno.
4. TSADKIEL. A primeira inteligência do quarto céu, Júpiter.
5. KAMAEL. A inteligência que domina no quinto céu, Marte.
6. RAFHAEL. A inteligência soberana do sétimo céu, Vênus.
7. MIKHAEL. A primeira inteligência do nono céu, a Lua.

No mundo elementar há:

1. Salamandras, que habitam o fogo.
2. Silfos, que habitam o ar.
3. Ninfas, que habitam a água.
4. Gnomos, que habitam a terra.
5. Reino animal, inclusive o homem.
6. Reino vegetal.
7. Reino mineral.

Os Nomes Divinos

Como o leitor já pôde ver, cada letra hebraica tem três funções: exprime um hieróglifo, um número e uma ideia. Nisso se baseia a Cabala.

Se cada uma das letras é uma potência efetiva, o agrupamento dessas letras segundo certas regras místicas dá origem a centros ativos, de maneira que podem agir de um modo eficaz, quando empregados e postos em ação pela vontade do homem.

Dessas palavras sagradas, as mais importantes são os Nomes Divinos, dos quais cada um exprime um Atributo especial de Deus, isto é, uma lei ativa na natureza e um centro universal de ação.

Os nomes divinos são dez, a saber:

1. AHeIeH
2. IaH
3. IEVE ou IeHOaH
4. AL ou EL
5. ALOaH ou EloaH
6. ALHIM ou ELOIM
7. IEVE TseBAOT

8. ALHIM TsEBAOTh
9. ShADaI
10. ADoNAI

PRIMEIRO NOME DIVINO: AHeIeH

Este nome significa: "Sou o que sou", e serve para designar a essência dos seres.

Em vez de AHeIeH, escreve-se, às vezes, a simples letra *I* (*iod*), que significa, neste caso, o Eu supremo e absoluto.

Essa letra é a décima do alfabeto hebraico e designa igualmente o número 10.

O *iod*, figurado por uma vírgula, ou, antes, um ponto, representa o princípio das coisas (todas as formas têm seu princípio no ponto).

Consideremos o valor numérico do *iod* = 10. O algarismo 1 representa o princípio único, o ser; o zero nada vale por si mesmo, é o Nada relativo (pois o Nada absoluto não existe), o não ser, o qual, antepondo-se à unidade (01), não tem valor; colocado, porém, na ordem inferior, contribui para a elevação do todo (de 1 forma-se 10).

Assim, Deus, que é o princípio único das coisas (1), produz o Universo (10) do Nada (0) relativo.

Geometricamente, representa-se 1 por um ponto, e o zero por uma circunferência:

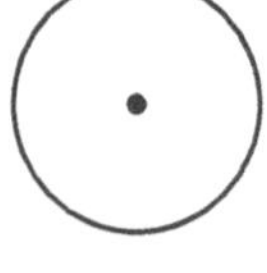

O ponto central simboliza Deus, a Unidade eterna, o princípio de que todas as coisas emanam.

A circunferência designa o Universo, a realidade sensível, que emana do centro.

O símbolo inteiro é, pois, o símbolo de Deus e sua Criação.

Os cabalistas indicam simbolicamente os três principais Atributos da Divindade por três *iod*, formando um triângulo:

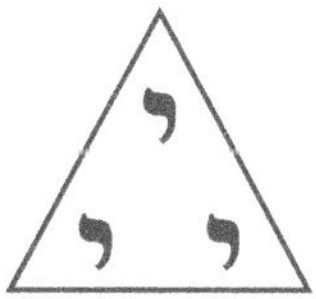

O primeiro atributo é a Eternidade; o segundo, a Extensão infinita; o terceiro, a Substância.

A Eternidade dá origem ao tempo, com a sua tríplice divisão: passado, presente e futuro.

A Extensão infinita dá origem ao espaço, com suas três dimensões: comprimento, largura e profundidade.

A Substância eterna e infinita dá origem à matéria, com seus três estados de corpos: sólido, líquido e gasoso.

A Eternidade corresponde ao Pai; a Extensão infinita ao Filho; a Substância ao Espírito Santo.

O tempo liga-se ao número; o espaço, à medida; a matéria, ao peso.

Tudo isso nos ensina o primeiro Nome Divino: AHEIEH. Acrescentemos que AEI, em grego, significa "sempre".

SEGUNDO NOME DIVINO: IAH

O princípio de todos os seres (I) manifesta-se na vida absoluta (H).

Este nome significa a indissolúvel união do Espírito (I) e da Alma (H) universais; a Divindade cheia de ideias; a Essência essencializante.

TERCEIRO NOME DIVINO: IEVE OU IEHOAH

Este nome é um dos mais misteriosos da teologia hebraica e exprime uma das mais admiráveis leis naturais. Os judeus não o pronunciam, para não o profanar, e substituem-no pela palavra *Adonai* ("Senhor").

Segundo Kircher, só o grande sacerdote tinha o direito e o segredo de pronunciá-lo uma só vez por semana. Outros dizem que o grande sacerdote o proferia no templo só uma vez por ano, no dia 10 do mês Tishi (setembro), dia de jejum e expiação. Nessa ocasião, dizia-se SHEM HAMPHORASH, isto é, "o nome bem pronunciado".

Os cabalistas chamam o terceiro Nome Divino *Tetragrammaton*, isto é, palavra de quatro letras (em grego, tetra é quatro). Seguindo a pronúncia sem pontos vocálicos, lê-se IEVE; com os pontos, deve ler-se IEHOAH, mas também se diz JEOVÁ ou IAHVEH.

Esse nome deriva, gramaticalmente, do verbo HOH (ou EVE), que significa "ser". Juntando-se a esse verbo o signo de manifestação potencial (I), obtém-se IHOH (*Ihôah*) ou IEVE, que significa exatamente: "O Ente que foi, é e será".

A letra inicial (*iod*) simboliza o Pai, os dois *he* a dupla natureza do Filho, a ativa e a passiva; e a letra *vô* (ou ô) que as une representa o Espírito Santo, isto é, o Espírito de Deus, que, do caos, fez o cosmos.

A palavra IEVE denota também a copulação dos princípios masculino (I) e feminino (EVE), que geram eternamente o Universo vivo (grande arcano do Verbo).

Diz Fabre d'Olivet que a pronúncia *Jeová* é corrompida, e por isso teria sido proibido ao vulgo pronunciar esse nome.

QUARTO NOME DIVINO: AL OU EL

Este nome exprime o poder (A) e a extensão ou elevação (L).

Designa o Todo-Poderoso; o desenvolvimento da Unidade do Princípio, sua difusão no espaço e no tempo.

QUINTO NOME DIVINO: ALOaH OU ELOAH

Aqui se junta à concepção precedente a ideia de luz espiritual (O = *Vô*) e de vida absoluta (H); o Todo-Poderoso manifesta-se em inteligência e vida.

SEXTO NOME DIVINO: ALHIM OU ELOHIM

É o quinto nome divino empregado em plural (IM); designa, pois, as Supremas Potências Vivas.

Moisés emprega esta palavra quando fala de Deus como Criador.

SÉTIMO NOME DIVINO: IEVE TSEBAOTH

Significa "Deus dos exércitos" (celestes) ou, antes, "Deus das ordens cósmicas"; a Lei Divina que rege os mundos.

OITAVO NOME DIVINO: ALHIM TSEBAOTH

Significa "as Supremas Potências Vivas das Ordens Cósmicas".

NONO NOME DIVINO: SHADAI

A palavra SHAD caracteriza a natureza produtora; a letra final I simboliza a Divindade; SHADAI, pois, é o nome da Divina Providência. Alguns dão como nono nome divino AL-HAI, o Poder Altíssimo da Vida.

DÉCIMO NOME DIVINO: ADONAI

Este nome significa "Senhor". Às vezes, acrescentam-lhe a palavra MELEKH, "Rei".

Os números

A Unidade é a primeira causa, o princípio criador dos números; é o ponto de que se geram as linhas. Sendo só, a Unidade não pode produzir; para isso é necessário que se oponha a si mesma, que se desdobre: assim se obtém dois, o número binário. Um é ativo, dois é passivo. Um é Deus, dois é a natureza. Um é o homem, dois é a mulher. Um é o Ser, dois é o reflexo. Um é a energia absoluta, dois é a oposição, a divisão.

Dois não existe por si só; é o reflexo da Unidade. Assim, a natureza é o reflexo de Deus, e a mulher é o reflexo do homem.

Da união da Unidade e da dualidade nasce o terceiro princípio: três, o ternário, que é neutro.

"Este número é o fim e a expressão do amor", diz Lévi, "porque é o nó misterioso que une o ativo com o passivo, o homem com a mulher; é o filho que participa do pai e da mãe, sem ser nenhum deles."

Três é o número da forma: não pode haver corpo sem as três dimensões (comprimento, largura e profundidade). Não pode haver ação sem três condições: o sujeito que age, o objeto em que se reflete a ação, e o agir.

Em todas as épocas, em todas as nações, em todos os

cultos, encontramos a Trindade: os chineses a constituem de céu, terra e homem; os hindus, de Brahma (Criador), Vishnu (Conservador) e Shiva (Transformador); os egípcios, de Osíris (o Pai Celeste), Ísis (a Mãe Celeste) e Horo (o Filho); os romanos, de Júpiter, Juno e Vulcano; os cristãos, de Pai, Filho e Espírito Santo; a Cabala forma a Trindade das primeiras três *Sephiroth*: Khether (Coroa), Chokmah (Sabedoria) e Binah (Inteligência).

Quatro é o número da harmonia: é a ação da Unidade sobre o ternário da forma. É o número dos elementos (fogo, ar, terra, água).

Cinco se forma de quatro pela adição de um. Um é o princípio de vida, o Espírito; quatro são os elementos; por conseguinte, cinco é o Espírito dominando os elementos. A figura correspondente ao número 5 é o pentagrama, a estrela flamejante de cinco pontas, que representa o corpo humano com a cabeça virada para cima, e é o símbolo de Adam-Kadmon, o Homem primordial antes da queda, ou de Jehoshuah (Jesus), o Filho de Deus feito homem.

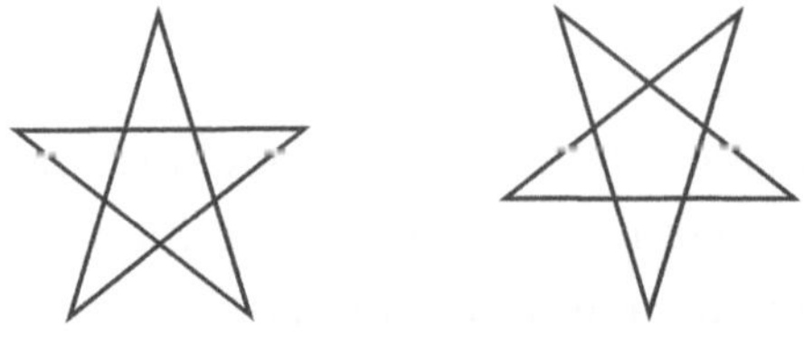

Se virarmos a ponta de cima para baixo, teremos a figura de um homem com a cabeça virada para baixo, a representação de Adam Belial, o homem caído, o diabo ou a inteligência dominada pela matéria.

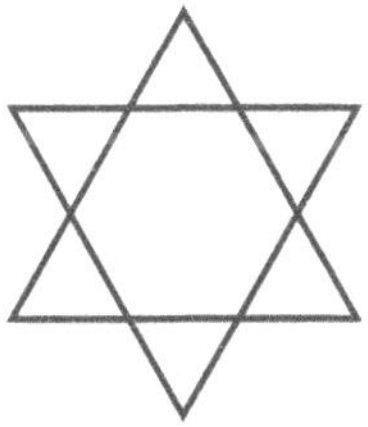

Seis é duas vezes três; é, portanto, a imagem das relações que existem entre o céu e a terra. É o símbolo do equilíbrio, do antagonismo, do bem e do mal. O seu signo hieroglífico correspondente é o hexagrama, a estrela de Salomão, que tem seis pontas, sendo formada de dois triângulos entrelaçados: um com a ponta para cima e outro com a ponta para baixo.

Esse signo representa o dogma da analogia, o axioma gravado sobre a Tábua de Esmeralda de Hermes: "O que está em cima é como o que está embaixo".

Sete é o desenvolvimento do três, o princípio neutro (3) dominando os quatro elementos; a aliança da ideia e da forma.

7 = 1 + 6: a Unidade central (1) em equilíbrio.
7 = 2 + 5: a ciência (2) desenvolvendo a inteligência (5).
7 = 3 + 4: a forma (3) harmoniosa (4).

Esse número representa o poder mágico em toda a sua força; nós o encontramos nos sete dias da Criação, nos sete sons da escala musical, nas sete cores do arco-íris, nos sete sacramentos, nas sete virtudes, nos sete vícios, nos sete planetas, nos sete dias da semana etc.

Oito é duas vezes quatro, isto é, a manifestação perfeita das formas, a balança universal das coisas.

Nove é 3 × 3, a imagem mais completa dos três mundos; é também o número do iniciado (6 + 3), e exprime a razão de ser de todas as formas, porque contém todos os outros números simples.

Dez representa a Eternidade; é o número do ciclo perfeito, e pode ser representado por uma circunferência com um ponto no centro. Esse ponto simboliza Deus, a Unidade Infinita, o Princípio de todas as coisas, a circunferência é o símbolo do Universo.

Onze representa o grande agente mágico, a força oculta e cega, quando não é bem dirigida.

Doze = 3 × 4, a harmonia perfeita. Doze são os signos do zodíaco, doze são os meses de um ano, doze os filhos de Jacó, doze os apóstolos de Jesus.

Consideremos, agora, o significado esotérico dos nomes dos numerais em hebraico, baseando-nos na semântica das letras.

1 – AChaD = o princípio (A) e o protoplasma (Cha) da natureza (D).

2 – SheNaIM = existência (Sh) refletida (N) e assim multiplicada (IM).

3 – SheLOhaSH = duração (SheL) da existência inteligente (OSh).

4 – ARBaHwaH = ordem (ARB) na matéria (Hw).

5 – ChaMiShaH = ardor (ChaM) da existência (Sh), paixão, amor.

6 – ShiShaH = duas existências (dois Sh): uma espiritual ou superior, outra material ou inferior.

7 – ShiBHwH = reintegração (ShuB) da matéria (Hw).

8 – SheMoNaH = manifestação perfeita (SheM) das formas produzidas (N).

9 – ThaShHwH = ação recíproca (TH) do ser (Sh) e da matéria (Hw).

10 – HwaShaRaH = obra (HwSh) inteligente (R).

Operações literais e numéricas

A Cabala literal compreende três espécies de operações, que são:

1 - O *Notarikon* ou a arte dos signos;
2 - A *Gematria*, que consiste em comutações e combinações de letras;
3 - A *Themurah* ou transposições.

Vejamos alguns exemplos:

1 - Judas, o Macabeu, preparando-se para combater contra Antíoco Eupator, recebeu de um anjo, conforme a tradição, um signo famoso, composto das letras MIKHBI, que contribuiu para a sua grande vitória. Estes quatro caracteres misteriosos são formados das letras iniciais das seguintes quatro palavras: *Mi Khim Behwolaim Ieve*, isto é: Quem dentre os fortes é semelhante a IEVE?
2 - Dividindo-se a palavra BRASHITH (no princípio) em duas, obtém-se BRA (criou), e SHITH (seis, isto é, as seis forças fundamentais que presidem à obra misteriosa dos seis dias do Gênesis).
3 - Deus diz no Êxodo: "Enviarei diante de ti o meu anjo".

Em hebraico, "o meu anjo" é MELAKHI. Transpondo as letras desta palavra, obtemos o nome do anjo de que se fala: MIKHAEL (Miguel), o protetor do povo hebreu.

A mais notável das subdivisões da *Themurah* é a chamada *Gilgul*, que consiste na transposição das diferentes letras de uma palavra, por exemplo, as transposições do sagrado tetragrama chamam-se *Havioth* e representam o jogo contínuo com que a Divindade Criadora produz a variedade da Unidade.

Além das operações literais, os cabalistas empregam certas operações numéricas para penetrar nos segredos da natureza e das Escrituras.

Os números formam três classes, das quais cada uma contém nove letras correspondentes. A primeira classe é formada pelos números simples de 1 a 9: esses se chamam números pequenos. A segunda classe contém as dezenas (10-90), que se chamam números medianos; e a terceira, as centenas (100-900), que se chamam números grandes. Os milhares são representados, em hebraico, como as unidades, porém com dois pontos em cima.

As letras substituem-se por números, e os números por letras.

Há duas operações numéricas próprias da Cabala: a adição e a redução.

A primeira consiste em adicionar todos os algarismos que compõem um número superior aos nove primeiros, por exemplo: 12, adicionando-se cabalisticamente, resulta 1 + 2 = 3.

A redução consiste em achar o número pequeno que resulta da adição progressiva, por exemplo, 365 reduz-se a 5, porque 365 = 3 + 6 + 5=14 =1+4 = 5.

Vejamos alguns exemplos dessas operações numéricas.

1) "Pai" chama-se em hebraico AB (A = l, B = 2); "Mãe", AEM (A = l, M = 40); a soma dos valores numéricos dessas palavras (l + 2 + l + 40 = 44 = 4 + 4 = 8) é igual à soma dos valores numéricos de IELED = "geração" (I = 10, L = 30, D = 4; 10 + 30 + 4 = 44 = 4 + 4 = 8).
2) A igual resultado chegaremos adicionando e reduzindo os números contidos na palavra sagrada IEVE: I = 10, H = 5, V = 6, H = 5; 10 + 5 + 6 + 5 = 26 = 2 + 6 = 8.

I IE IEV IEVE

3) Do nome sagrado IEVE, os cabalistas tiram o nome de 72 letras, da seguinte maneira: escreve-se essa palavra num triângulo idêntico ao que está representado acima. Em seguida, adicionam-se os números correspondentes a cada letra, obtendo o seguinte resultado:

I = 10
IE = 10 + 5 = 15
IEV =10 + 5 + 6 = 21
IEVE = 10 + 5 + 6 + 5 = 26
Total = 72

Daí os 72 anjos ou gênios que presidem às 72 divisões do céu, às 72 nações e às 72 partes do corpo humano.

4) A primeira palavra que Moisés escreveu em seu livro do Gênesis é BRADShITh. Essa palavra é formada de seis letras, correspondentes ao signo do macrocosmo, que é o hexagrama ou duplo triângulo (a estrela de Salomão).

A formação do macrocosmo (ou Universo) é dividida em seis fases a que se dá o nome simbólico de "dias".

O número 6 é relativo à Criação, porque se forma pela adição dos números que compõem a Trindade: 1+ 2 + 3 = 6.

A primeira Trindade, simbolizada pelo triângulo com a ponta para cima, é eterna e existe por si mesma; a segunda é o reflexo da primeira, por isso é simbolizada pelo triângulo invertido.

"Criou" = BRA = 2 + 200 + 1 = 203 = 2 + 3 = 5, número que corresponde à letra *He*, símbolo da vida absoluta.

6) O número total dos valores da palavra BRAShITh é: 2 + 200 + 1 + 300 + 10 + 400 = 913, que se reduz a 9 + 1 + 3 = 13, correspondente à letra *mem*, que representa o princípio feminino, as "águas" da matéria primordial. O número 13 pode se reduzir, ainda, a 13 − 1 + 3 = 4, que é o valor numérico da letra *Daleth*, símbolo da natureza divisível e dividida.

7) O ano dos hebreus é lunar e tem 355 dias; eis o que indica já o nome ShaNaH, "ano", pelo seu valor numérico, pois: Sha = 300, N = 50, H = 5; 300 + 50 + 5 = 355.

As dez *Sephiroth*

Deus em Si mesmo, em Sua Essência, é incognoscível para o homem. A Cabala designa-o pelo nome AIN-SOPH, Sem Limites, Infinito, o que corresponde ao *Parabram* dos hindus. Deus, porém, é suscetível de ser conhecido nas suas manifestações. A Cabala fala de dez *Sephiroth** ou Emanações, que são os modos manifestadores de Deus ou Atributos de Deus manifestado.

As dez *Sephiroth* são as seguintes:

1 - *Khether*, Coroa, Potência Suprema.
2 - *Chokmah*, Sabedoria Infinita.
3 - *Binah*, Inteligência Divina.
4 - *Gedulah*, Majestade, chamada também *Chesed*, Misericórdia.
5 - *Geburah*, Força, chamada também *Pechad*, Temor de Deus.
6 - *Thiphereth*, Beleza.
7 - *Netsach*, Vitória sobre a morte.

---

* *Sephiroth* é plural; a forma singular é *Sephirah*.

8 - *Hod*, Glória e Repouso.
9 - *Iesod*, Fecundação.
10 - *Malkhuth*, Reino.

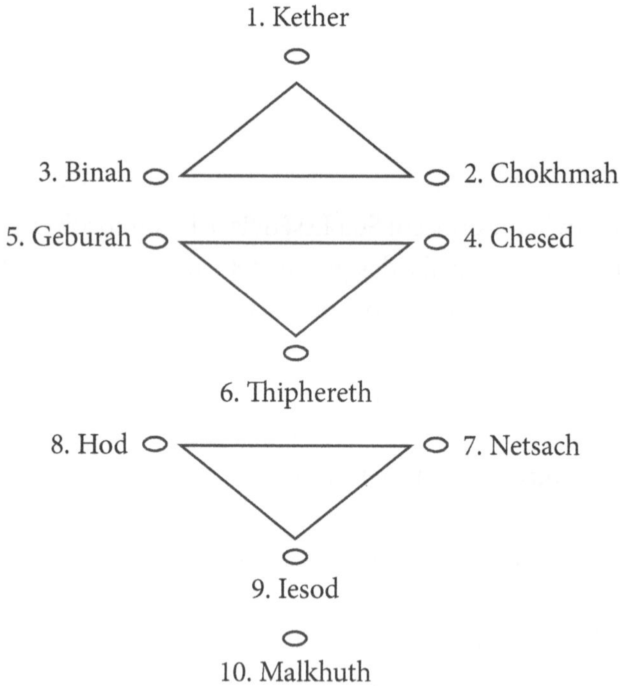

Vejamos como o grande ocultista Elifas Lévi explica as dez *Sephiroth*:

"Deus é o único *postulatum*, a hipótese absolutamente necessária que serve de base a toda certeza; eis como os nossos antigos mestres estabeleceram sobre a própria ciência esta hipótese certa da fé: O Ser é. No Ser está a vida. A vida se manifesta pelo movimento.

"O movimento se perpetua pelo equilíbrio das forças. A harmonia resulta da analogia dos contrários.

"Há, na natureza, uma lei imutável e progresso indefinido. Observando o mundo físico, encontramos uma perpétua mudança de formas, e a indestrutibilidade da substância. A metafísica vos apresenta leis e fatos análogos, quer seja na ordem intelectual, quer na moral: de um lado o *verdadeiro*, imutável, e de outro lado o mal, que é falso; e destes conflitos aparentes resulta o juízo e a virtude.

"A virtude se compõe de bondade e justiça. Sendo boa, a virtude é indulgente. Sendo justa, é rigorosa. É boa porque é justa, e é justa porque é boa; e assim é bela.

"Esta grande harmonia do mundo físico e do mundo moral, não podendo ter uma causa superior a si mesma, revela e demonstra a existência de uma Sabedoria imutável, princípio e leis eternas, e de uma Inteligência criadora, infinitamente ativa.

"Sobre esta Sabedoria e esta Justiça, inseparáveis uma da outra, rcpousa aqucla Potência Suprema, que os hebreus denominam a Coroa. A Coroa, e não o rei, porque a ideia de um rei implicaria a de um ídolo. A potência é a Coroa do Universo, e a criação inteira é o reino ou domínio da Coroa.

"Deus é, pois, a ou Coroa Suprema (*Kether*) que repousa sobre a Sabedoria imutável (*Chokmah*) e a Inteligência criadora (*Binah*). Nele está a Bondade (*Chesed*) e a Justiça (*Geburah*), que são o ideal da Beleza (*Thiphereth*).

"Nele há movimento sempre vitorioso (*Netsach*) e o grande Repouso Eterno (*Hod*). A sua vontade é uma Geração contínua (*Iesod*), e o seu Reino (*Malkhuth*) é a imensidão que povoa os universos."

As primeiras nove *Sephiroth* dividem-se em tríades, contendo cada uma dois princípios opostos e um princípio de conciliação.

É a balança do Livro da Criação. A 1ª tríade representa os atributos metafísicos de Deus, ou o mundo intelectual; a segunda, o mundo moral; a terceira, o mundo físico. A última Sephirah é o resumo e conjunto de todas as outras; é a harmonia do mundo.

A 2ª e a 3ª tríades são reflexos da 1ª nos mundos inferiores; por isso, representam-se com triângulos inversos, como a imagem de um objeto que se reflete na superfície de um líquido. A 1ª tríade é o plano do Universo; as sete *Sephiroth* que seguem são as de construção ou execução.

As *Sephiroth* do lado direito (a 2ª, 4ª e 7ª) representam o princípio masculino, ativo; as do lado esquerdo (a 3ª, 5ª e 8ª) representam o princípio feminino, passivo; as do meio (a 1ª, 6ª e 9ª) são a conciliação dos princípios opostos.

A cada Sephirah corresponde um Nome Divino, a saber:

1 – *Kether* AHEIEH, Coroa do Ser.
2 – *Chokhmah* IAH, Sabedoria do Supremo Pensador.
3 – *Binah* IEVE, Inteligência Eterna.
4 – *Chesed* EL, Misericórdia do Altíssimo.
5 – *Geburah* ELOAII, Justiça de Deus vivo.
6 – *Thiphereth* ELOIM, Beleza das Potências Criadoras.
7 – *Netsach* IEVE TSEBAOTH, Vitória do Eterno Diretor dos mundos.
8 – *Hod* ELOIM TSEBAOTH, Glória eterna das Supremas Potências dos mundos.
9 – *Iesod* SHADAI, Perpetuação da Providência Divina.
10 – *Malkhuth* ADONAI, Reino do Senhor.

Os mundos da Cabala

A Cabala é a ciência de Deus e da alma em todas as suas correspondências. Ela ensina e prova que Tudo está em Um, e que Um está em Tudo; por meio da analogia, sobe da imagem ao princípio e desce do princípio à forma.

A Unidade criadora manifesta-se fora de si mesma em três planos de existência ou três mundos, os quais, porém, não estão separados um do outro por nenhuma linha divisória, mas entrelaçam-se um no outro, penetrando-se reciprocamente, e encontram-se por toda parte, tanto em Deus como no Universo e no homem; tanto num grão de trigo, como num astro; tanto numa palavra, como numa letra.

São três, porque a Trindade é a lei universal da Existência.

A Trindade, derivando da Unidade e tendendo a reintegrar-se nela, forma assim um ciclo quaternário, que se manifesta em tudo o que vive.

Os três mundos ou planos de existência são: um mundo superior, um mediano e um inferior.

Conforme a criatura que observamos, recebem nomes diferentes. Assim, no homem o mundo superior chama-se Espírito ou Ser Imortal, e os seus órgãos são o cérebro e o sistema nervoso consciente; o mundo mediano é a Vida ou o princípio animador, que age por meio do sistema nervoso simpático e pelos vasos sanguíneos; e o mundo inferior é o corpo do homem com as funções digestivas.

O corpo físico manifesta também uma trindade de constituição: a cabeça, o peito e o ventre.

Cada um desses mundos ou planos de existência é, por sua vez, uma representação dos três mundos, tendo a sua localização num e seu reflexo nos outros dois.

Assim, o sistema nervoso consciente, embora centralizado na cabeça, tem emanações no peito e no ventre. O sistema simpático e sanguíneo, mesmo que centralizado no peito, envia artérias e veias também pela cabeça e pelo ventre; e o sistema digestivo e linfático, embora centralizado no ventre, tem igualmente vasos e glóbulos em circulação por todo o organismo.

O seguinte esquema indica as relações dos diversos centros hierárquicos dos três mundos:

MUNDO SUPERIOR .... { Localização do Superior
Reflexo do Mediano
Reflexo do Inferior

MUNDO MEDIANO .... { Reflexo do Superior
Localização do Mediano
Reflexo do Inferior

MUNDO INFERIOR .... { Reflexo do Superior
Reflexo do Mediano
Localização do Inferior

No homem, consequentemente, encontramos:

No plano superior (cabeça, vida intelectual):
1 – O espírito localizado (inteligência, cérebro).

2 – A vida refletida (artérias e veias).
3 – O corpo refletido.

No plano mediano (peito, vida orgânica):
1 – O reflexo do Espírito (nervos).
2 – A localização da vida (sentimento, sistema simpático e sanguíneo).
3 – O reflexo do corpo.

No plano inferior (ventre, vida celular):
1 – O reflexo do espírito (nervos).
2 – O reflexo da vida (artérias e veias).
3 – A localização do corpo (sistema digestório e linfático).

Todos esses nove centros emanam de um princípio infinito que gerou a primeira trindade.

Esse princípio criador tem um reflexo direto, o elemento pelo qual se realiza a geração (que é o reflexo da Criação), como se vê no seguinte quadro:

	PRINCÍPIO CRIADOR (DEUS)	
CABEÇA	ESPÍRITO	VIDA INTELECTUAL
PEITO	SENTIMENTO	VIDA ORGÂNICA
VENTRE	INSTINTO	VIDA CELULAR
	GERAÇÃO (Reflexo do Princípio Criador)	

No *Sepher Bereshith*, Moisés designa os três mundos pelos nomes:

NESHAMAH, RUACH e NEPHESH.

1. NESHAMAH é o princípio superior, o mundo interior, o espírito, a esfera das inteligências mais elevadas.
2. RUACH é o princípio intermediário, a alma, hierarquia dos seres invisíveis do mundo astral.
3. NEPHESH é o princípio inferior, o mundo exterior ou revelado, corpo da criação, o plano físico.

O homem participa desses três mundos; todas as suas partes estão em contínua permutação recíproca com as partes do Universo que lhes correspondem, como também em relações recíprocas com as outras partes do próprio homem.

O *Sepher ha-Zohar*, desdobrando o primeiro, fala de quatro mundos, a saber:

1 – O mundo da Emanação (*Hwolam Atsiluth*).
2 – O mundo da Criação (*Hwolam Briah*).
3 – O mundo da Formação (*Hwolam Ietsirah*).
4 – O mundo da Produção (*Hwolam Asiah*).

O mundo da Emanação (*Atsiluth*) é o plano Divino, a sede das dez *Sephiroth*. Emanação é o processo interior pelo qual a possibilidade, o Nada relativo, passa a ser realidade.

Criação é o movimento pelo qual o Espírito, saindo de seu isolamento, se manifesta como espírito em geral, sem que ainda revele o mínimo de individualidade. O

Mundo da Criação (*Briah*) é a moradia dos anjos, que formam coletividades.

Formação é o movimento pelo qual o espírito geral se manifesta ou se decompõe em uma multidão de espíritos individuais. O Mundo da Formação (*Ietsirah*) é povoado por entes espirituais invisíveis.

O mundo da produção (*Asiah*) é o universo ou mundo sensível, onde nos movemos. Entretanto, o que percebemos deste mundo com os nossos olhos corporais não é senão a esfera mais inferior, a mais material. A esse Mundo da Produção pertence o nosso corpo (*Nephesh*) com a vida celular, ao passo que a alma (*Ruach*) pertence ao Mundo da Formação (*Ietsirah*), e o nosso espírito (*Neshamah*) ao Mundo da Criação (*Briah*).

Deus é Criador desde a eternidade. Antes do mundo atual, já existiram outros mundos que foram destruídos. A causa da destruição do mundo é o mal, que é inseparável da matéria.

O mal provém do enfraquecimento sucessivo da Luz Divina, que, por sua irradiação ou emanação, criou o mundo. O mal é sempre representado, na Cabala, como um cascão.

Existe também uma esfera do mal, povoada por anjos caídos que são, igualmente, cascões (*Khelippoth*).

Constituição do ser humano

O homem é, segundo a Cabala, um ser complexo, composto de três partes:

1 – *Nephesh*, corpo com o princípio vital.
2 – *Ruach*, a alma, sede da vontade, que constitui propriamente a personalidade humana.
3 – *Neshamah*, o espírito, a Centelha Divina.

Essas três partes diferenciam-se entre si como o concreto, o particular e o geral, de maneira que uma é o reflexo da outra.

Elas não são completamente distintas nem separadas uma da outra; ao contrário, devemos representá-las como passando uma para a outra, pouco a pouco, da mesma forma como as cores do espectro, que, embora sucessivas, não podem distinguir-se exatamente, fundindo-se uma na outra. Cada uma dessas três partes fundamentais do ser humano contém três subdivisões análogas.

Nephesh não é só o corpo visível, abrange também o corpo fluídico (perispírito dos espíritas e o princípio da vida – o fluido magnético vital). Ele é a forma da existência concreta, a parte externa do homem vivo. O que nele domina principalmente é a sensibilidade passiva para o mundo exterior, sendo a sua atividade ideal quase nula. *Nephesh* está diretamente relacionado com outros seres concretos, dos quais recebe impulsos e sobre os quais também age.

Ruach, a alma, não é tão sensível às influências do ambiente material, mas flutua entre a atividade e a passividade, entre a interioridade e a exterioridade, ora recebendo sensações do exterior, ora dando a este impulsos. Tem a propriedade de se distinguir de todas as outras partes como um indivíduo especial, de dispor de si mesmo e manifestar-se por fora por uma ação livre e voluntária.

Formando um laço intermediário entre *Nephesh* e *Neshamah*, entre o concreto ou material e o geral ou espiritual, tem com ambos relações que se podem dividir em três classes:

1) É excitado por *Nephesh*, que lhe é inferior, e, por sua vez, age sobre ele.
2) É influenciado pelo particular exterior, correspondente à sua natureza, e exerce sobre ele a sua influência.
3) Recebe estímulo de *Neshamah*, que o impressiona e produz nele uma influência vital mais elevada, mais espiritual; por sua parte, comunica a *Neshamah* suas experiências individuais.

Neshamah é o Espírito, no sentido que lhe dá o Novo Testamento. É o ser puramente interior; nele não se encontra mais a sensibilidade passiva para a natureza exterior; a atividade domina aqui a receptividade. O espírito vive de sua própria vida, e vive só para o geral ou para o mundo espiritual. Contudo, é ativo e passivo, e, além das relações com a Divindade, tem também relação com *Ruach* e *Nephesh*, em que se reflete.

Nephesh, com o seu corpo e seu princípio vital, e *Ruach*, com sua força, representam uma imagem exterior do espírito. O que há de quantitativo em *Nephesh* e de qualitativo em *Ruach* vem de *Neshamah*, que é puramente interior e ideal.

Como já dissemos, cada uma das três partes constitutivas do ser humano tem três subdivisões, que provêm da localização e dos reflexos dos respectivos princípios. Desse modo, distinguimos no homem nove elementos, ou três partes principais, com três graus cada um:

I - NEPHESH: 1) o concreto no concreto; 2) o particular no concreto; 3) o geral no concreto.
II - RUACH: 1) o concreto no particular; 2) o particular no particular; 3) o geral no particular.
III - NESHAMAH: 1) o concreto no geral; 2) o particular no geral; 3) o geral no geral.

A alma na morte

A alma humana é imortal, mas não atinge a felicidade celeste, que provém da união com Deus, senão quando se tornou perfeita.

Isso não é possível no estado atual do homem, por causa da demasiada materialidade de seu corpo.

A alma humana é, por isso, obrigada a viver em outros corpos: reencarna-se para se purificar.

A Divindade criou o Homem (Adam-Kadmon)* para ser o representante da Sabedoria e do Poder Divino. Para esse fim, o Homem devia:

1) Cultivar o Jardim do Éden,** isto é, trabalhar para o bem e para a harmonia universal (preceito positivo).
2) Preservar-se da influência das trevas (preceito negativo).

---

* Adam-Kadmon é o Homem primordial antes da queda, e não se deve confundir com o primeiro homem (*Adam-ha-ras-hon*) terrestre. O Adão primordial é um e muitos, porque tudo é dele e está nele. A Cabala conhece ainda Adam-Belial, que é o Adão dos cascões, e Adam Protoplastes: este é o princípio das almas diferenciadas (o Homem universal), ao passo que Adam-Kadmon é o Logos ou Verbo manifestado, o Adão divino.

** Jardim do Éden (*Gan Hweden*) é a esfera de atividade orgânica (*Gan*) no ciclo da Perpetuidade (*Hweden*).

Se o Homem tivesse obedecido, a união entre os dois Adam – o criatural e o divino – seria realizada para a Eternidade, e a mesma coisa se operaria em toda a natureza; as criaturas teriam alcançado a vida perpétua.

Mas a serpente da tentação, a Concupiscência, fez nascer no coração do homem o amor da matéria: o equilíbrio dos pólos da vida foi destruído, o princípio concêntrico adormeceu pouco a pouco; e o de expansão produziu um caos.

O homem, em vez de viver na Divindade e receber d'Ela constantemente a espiritualidade necessária, caiu no amor de si mesmo e no mundo do pecado; deixou o seu centro eterno em troca da periferia. Essa queda e esse afastamento da Divindade tiveram por consequência um decaimento das faculdades na natureza humana.

A Centelha Divina retirou-se mais e mais do homem, *Neshamah* perdeu a união íntima com Deus, e da mesma forma *Ruach* se afastou de *Neshamah*, e *Nephesh* perdeu a sua união com *Ruach*. Assim, a parte inferior do *Nephesh* humano, que era, a princípio, um corpo luminoso etéreo, transformou-se em nosso corpo material, e o homem ficou sujeito à dissolução nas três partes principais de sua constituição.

A morte do homem não é, porém, senão uma passagem a uma nova forma de existência.

A Cabala distingue duas causas que podem levar à morte: ou a Divindade diminui sucessivamente ou suprime bruscamente a influência que exerce sobre *Neshamah* e *Ruach*, de maneira que *Nephesh* perde a sua força, pela qual é animado o corpo material, e este morre; ou o corpo se desorganiza sob a influência de alguma perturbação ou lesão, perdendo a propriedade de receber a influência necessária de cima e de atrair para si as forças de *Nephesh*, *Ruach* e *Neshamah*.

Cada um dos três graus de existência do homem tem no corpo humano sua sede particular e sua própria esfera de atividade, e como todos os três se ligam ao corpo em diferentes períodos da vida, abandonam o cadáver também em momentos diferentes e em ordem inversa.

Neshamah, o princípio da vida espiritual, cuja sede está no cérebro, e que se uniu por último ao corpo material – no tempo da puberdade –, é o primeiro a abandonar o corpo; geralmente o faz já antes do momento que designamos pela palavra "morte", não deixando em seu órgão ou *Merkabah* mais que uma iluminação.

A personalidade do homem pode, entretanto, subsistir ainda por algum tempo, sem a presença efetiva de *Neshamah*.

Antes do momento da morte, aumenta o poder de *Ruach* no homem, de maneira que este pode perceber o que antes estava oculto a seus olhos. A sua vista percorre, às vezes, o espaço e pode distinguir seus amigos e parentes já falecidos.

Quando chega o momento crítico, espalha-se *Ruach* por todos os membros do corpo e despede-se deles; disso resulta a agonia, às vezes penosa. Em seguida, toda a essência vital do homem recolhe-se ao coração, procurando abrigo diante dos *Masikim* (maus espíritos) que se precipitam no cadáver. Saindo do coração, escapa *Ruach* pela boca no último suspiro do moribundo.

Quando se separou *Ruach*, o homem parece como morto; entretanto, habita nele ainda *Nephesh*, a alma da vida, até que os *Masikin* o obrigam a retirar-se. Muitas vezes *Nephesh* demora ainda perto do cadáver, e só quando sobrevém a putrefação perfeita eleva-se acima da esfera terrestre.

Os laços simpáticos que uniam as três partes do ser humano durante a vida não se cortam de todo pela morte. De *Nephesh* desprende-se alguma coisa persistente que desce até ao túmulo, aos ossos; é o que a Cabala chama "o sopro dos ossos" ou "espírito dos ossos". Esse princípio íntimo, imperecível, do corpo material, cuja forma e feições conserva, constitui o *Habal de Garmin*, o "corpo da ressurreição" (corpo astral luminoso).

Tendo se separado pela morte, as diversas partes constitutivas do homem entram nas esferas, atraídas conforme sua natureza e constituição, aonde as acompanham os seres que lhes são semelhantes e que rodeiam o homem já na hora da morte. O corpo, como a forma mais material, fica nas esferas inferiores do mundo *Asiah*, no túmulo, com o espírito dos ossos que constitui nele o corpo da ressurreição.

No túmulo, fica num estado de letargia obscura que, para o justo, é um doce sono.

Pode ser perturbado pela aproximação de outro morto que lhe é antipático ou pela evocação necromântica; por isso, Moisés proíbe evocar os mortos.

As esferas superiores do mundo *Asiah* servem de morada a *Nephesh*. *Ruach* vai habitar o mundo *Ietsirah*, e *Neshamah* se eleva ao mundo *Briah*. Todos os três, porém, ficam unidos em um só todo por intermédio do *Tselem*, que é a forma e a aparência corporal do homem, antes do falecimento.

O *Tselem* (a obra) consta de três partes: uma luz interior e espiritual e duas luzes envolvendo-a chamadas *Makifim*. Cada *Tselem* e seus *Makifim* correspondem, em sua natureza, ao caráter e grau de espiritualidade dos princípios a que pertencem.

Nephesh, *Ruach* e *Neshamah* podem manifestar-se no exterior só por meio do *Tselem*. Nas aparições de pessoas mortas, vê-se o seu *Habal de Garmin,* ou a sutil matéria aérea ou etérea do mundo *Asiah*, de que se reveste o *Tselem* de *Nephesh*, para se tornar perceptível a nossos sentidos corporais. Essa forma se dissolve logo.

O *Tselem* dos homens bons é puro e claro; o dos maus é sombrio e turvo.

A vida nos outros mundos é variadíssima, conforme o futuro que se preparou durante a vida terrestre, ou a alma há de passar por expiação e purificação, ou entra em êxtase espiritual.

Cada mundo tem seu *Gan-Eden* (paraíso), seu *Nohar Dinur* (rio de fogo para a purificação da alma) e seu *Gei-Hinam* (*geena*, lugar de castigo infernal).

Espíritos elementais

A Cabala afirma que os elementos (fogo, ar, terra e água) são habitados por seres aos quais se dá o nome de elementais (*Shedim*).

Os que habitam o fogo chamam-se salamandras; os do ar, silfos; os da água, ninfas ou ondinas; e os da terra, gnomos ou pigmeus.

Os cabalistas dizem que as salamandras são as criaturas mais belas e mais perfeitas que existem nos elementos, porque são compostas das partes mais sutis do fogo universal, que é o princípio de todos os movimentos da natureza. São sábias e invisíveis; conhecem os segredos da natureza e têm prazer em ajudar os homens bons.

Os silfos são compostos dos mais puros átomos do ar; as suas mulheres e filhas são de extraordinária beleza.

As ninfas ou ondinas são compostas das partes mais sutis da água. Entre elas há muito mais mulheres do que homens, e são muito formosas.

Os gnomos ou pigmeus povoam o interior da terra; são pequeninos e guardam os tesouros enterrados, as minas e pedreiras.

Esses entes vivem conforme as leis da natureza;

seus costumes e leis são admiráveis. Eles são inimigos dos ímpios, ignorantes e libertinos.

Não têm corpo físico nem *Neshamah*, compondo-se de *Nephesh* (corpo astral) e *Ruach* (alma). Alimentam-se dos vapores das nossas comidas, dos odores sacrificiais, da fumaça de coisas que se queimam etc. Multiplicam-se, vivem por séculos e não são sujeitos à corrupção, porque são compostos de um só elemento.

As ninfas e os gnomos podem ser percebidos, em certos casos, pela visão humana.

A Cabala ensina que o homem pode, por meio da magia natural (*Maaseh Shedim*), entrar em comunicação com os elementais, e também com os elementares, isto é, com os seres espirituais inferiores. O valor dessas comunicações, porém, depende do grau de sua moralidade; por isso, não se deve aceitá-las cegamente. Até os mais elevados dessa classe não sabem mais do que a continuidade natural das coisas, e podem predizer a vida dos homens somente naqueles pontos que são consequências naturais de seu passado; ignoram as consequências das ações futuras.

Há também, entre eles, seres de moralidade muito baixa, que cultivam conscientemente, achando prazer em seduzir as pessoas.

A magia

Segundo a Cabala, tudo no Universo é unido por um laço mágico. O exterior é a expansão do interior; coisas inferiores trazem o sigilo das superiores. Como o superior e o interior influem sobre o inferior e o exterior, também há influência inversa, isto é, o ser inferior e externo pode agir magicamente sobre o que está acima e no interior, assimilando a sua força total e seus poderes.

Quando o homem procura a união espiritual com o que é divino, com o que é superior e bom, pratica a magia branca. Para esse fim, serve-se da prece e da meditação, acompanhadas de certas cerimônias que auxiliam a concentração da ideia e da vontade.

Quem, porém, usa as forças invisíveis para fazer algum mal, exerce a magia negra, que é condenável, porque os demônios ajudam o mago negro na execução de suas práticas abomináveis, mas o conduzem à perdição.

Menos condenável do que a magia negra (*Maaseh Khishuph*) é a magia natural (*Maaseh Shedim*), que evoca e conjura os elementais, servindo-se deles para certos fins.

Toda magia depende, na maioria das vezes, de força espiritual e firmeza de vontade. Todos os homens são dotados de clarividência e de faculdades mágicas, porém em graus muito diferentes.

Em geral essas forças ficam latentes, porque não são cultivadas. Cada ato mágico pressupõe certa intenção forte e firme, para atrair a influência dos espíritos superiores; além disso, é necessário ter viva imaginação, para que as impressões das esferas invisíveis se gravem profundamente na alma.

O mago há de identificar-se com o objeto de sua meditação, por isso há de ser calmo, livre de paixões e desejos, condições que encontrará na solidão e no isolamento.

O homem que vive espiritualmente, libertando-se do domínio dos sentidos externos, pode entrar em comunicação com as esferas interiores do Universo e ali ver o passado e o futuro.

Conforme a Cabala, cada ação deixa no Éter um vestígio, uma imagem, e é por meio dessas imagens astrais que o clarividente pode descobrir o passado. Do futuro pode ver só aquilo que lhe mostram as correntes fluídicas que emanam do passado e do presente para preparar os acontecimentos vindouros.

Entretanto, toda faculdade clarividente tem seus limites, que dependem da evolução espiritual do experimentador. Os acontecimentos futuros, que dependem da livre vontade de uma criatura ou da decisão da Providência, são conhecidos somente pela Divindade, que pode anunciá-los aos profetas.

O mundo intelectual é formado por uma hierarquia de seres de inumeráveis graus, tendo todos a sua origem em Deus, e são tanto mais espirituais quanto mais perto estiverem de sua Fonte Divina.

A Providência manifesta-se subjetivamente, penetrando toda a Criação e dando vida a tudo, e objetivamente permanecendo em sua Essência, fora da Criação, a que se revela gradualmente.

As revelações divinas passam por toda a hierarquia de seres, e as criaturas de certo grau compreendem delas só aquilo que os graus superiores lhes transmitem.

As revelações que se referem a acontecimentos desagradáveis chegam aos seres espirituais destinados a executar as ordens, e estes podem avisar os homens em sonhos, principalmente quando a hora da execução está próxima.

A Cabala conhece as comunicações com os mortos (*doreh ha methim*). É proibido evocá-los (o que constitui a necromancia), mas o mago pode entrar em união com as almas dos mortos por meio de jejum, prece e fumigações, passando a noite entre os sepulcros.

O mago pode também entrar em comunicação com os espíritos superiores da natureza (*Sarim*), para receber deles instruções e sabedoria. Para esse fim é necessário passar por uma preparação mística, isolar-se do mundo e, com o auxílio do sagrado tetragrama, entrar em estado de inspiração mediúnica.

A Cabala conhece as curas mágicas ou magnéticas, a influência dos astros e dos talismãs, os fenômenos hipnóticos, a licantropia (o lobisomem) e o *sabbath* das bruxas.

Como já dissemos, todas as práticas da magia negra são condenadas; porque o homem deve colaborar na

Obra da Luz e do Amor, ser mago *branco*. A magia branca espiritualiza o homem e eleva-o à divindade.

Quando *Nephesh* e *Ruach* estão devidamente purificados, *Neshamah* (espírito) pode entrar em união com os anjos e com o Mundo Divino, receber deles revelações e fortalecer-se magicamente.

O último grau da sagrada magia branca é a união com a Divindade, a espiritualização de tudo o que, no homem, é material e terreno.

Os 32 Caminhos da Sabedoria

Da *Chokmah*, isto é, da Sabedoria Divina, emanam 32 caminhos luminosos, pelos quais podem os homens santos chegar aos centros ocultos dessa sabedoria, se procurarem com zelo e perseverança.

O primeiro caminho chama-se Inteligência admirável. Coroa suprema. É a luz que faz compreender o Princípio sem princípio; é Glória primeira; nenhuma criatura pode atingi-la.

O segundo caminho é a Inteligência que ilumina. É a Coroa da Criação e o esplendor da Unidade Suprema, da qual se aproxima o mais possível. Eleva-se acima de toda cabeça; é chamada a Glória segunda.

O terceiro caminho é a Inteligência que santifica. É a base da Sabedoria primordial, criadora da fé. As raízes são a Verdade.

O quarto caminho é a Inteligência recipiente, que recebe as emanações enviadas pelas Inteligências superiores. Emana da Coroa e faz efluir de si todas as virtudes espirituais.

O quinto caminho é a Inteligência radicular, que emana das profundidades da Sabedoria primordial.

O sexto caminho é a Inteligência da influência intermediária. Nela se multiplica o fluxo das emanações e ela faz descer esta influência sobre os homens benditos que a ela se unem.

O sétimo caminho é a Inteligência oculta. Ela envolve com um brilhantíssimo esplendor todas as virtudes intelectuais que são contempladas pelos olhos do espírito e pelo êxtase da fé.

O oitavo caminho é a Inteligência perfeita e absoluta. Dela emana a preparação dos princípios. As suas raízes estão nas profundidades da esfera magnífica da própria substância de que ela emana.

O nono caminho é a Inteligência purificadora. Purifica as *Sephiroth*, conserva a união das suas imagens, preservando-as, assim, da destruição e divisão.

O décimo caminho é a Inteligência resplandecente, que tem sede em *Binah*, ilumina o fogo de todos os luminares e faz emanar a forma do princípio das formas.

O 11º caminho é a Inteligência do fogo. É o véu colocado ante as disposições e a ordem das sementes superiores e inferiores.

O 12º caminho é a Inteligência da luz, a imagem da magnificência. É o lugar de onde vêm as visões.

O 13º caminho é a Inteligência indutiva da Unidade. É a substância da Glória; faz conhecer a verdade a todo espírito.

O 14º caminho é a Inteligência iluminativa dos arcanos, o fundamento da santidade.

O 15º caminho é a Inteligência constitutiva, que compõe a Criação no calor do mundo.

O 16º caminho é a Inteligência triunfante e eterna, o paraíso de volúpias, preparado para os justos.

O 17º caminho é a Inteligência dispositiva, que dispõe os pios à fidelidade, tornando-os, assim, aptos a receber o Espírito Santo.

O 18º caminho é a Inteligência ou Casa da afluência. É dela que se tiram os arcanos e os sentidos ocultos que dormitam em sua sombra.

O 19º caminho é a Inteligência do segredo e de todas as atividades espirituais. A afluência que ela recebe vem da Bênção elevadíssima e da Glória Suprema.

O vigésimo caminho é a Inteligência da vontade. Ela prepara todas as criaturas para a demonstração da existência da Sabedoria primordial.

O 21º caminho é a Inteligência que agrada aos que a buscam. Ela recebe a influência divina e influi por sua bênção sobre todas as existências.

O 22º caminho é a Inteligência fiel. Nela estão depositadas as virtudes, que ali aumentam até que vão aos que habitam em sua sombra.

O 23º caminho é a Inteligência estável, a causa da consciência de todas as *Shephiroth*.

O 24º caminho é a Inteligência imaginativa. Ela dá a Semelhança a todas as semelhanças dos seres.

O 25º caminho é a Inteligência de tentação ou provação. É a primeira provação com que Deus visita os pios.

O 26º caminho é a Inteligência renovadora. Por meio dela, Deus renova tudo o que pode ser renovado na Criação do mundo.

O 27º caminho é a Inteligência que agita. Dela é criado o espírito de todas as criaturas do Orbe supremo e a agitação, isto é, o movimento a que estão sujeitas.

O 28º caminho é a Inteligência natural. É por ela que chega à perfeição a natureza de tudo o que existe no Orbe do Sol.

O 29º caminho é a Inteligência corporal. Ela forma todo corpo encarnado no mundo.

O trigésimo caminho é a Inteligência coletiva. Dela os astrólogos tiram, pelo estudo das estrelas e dos signos celestes, as suas especulações.

O 31º caminho é a Inteligência perpétua. Ela regula o movimento do Sol e da Lua.

O 32º caminho é a Inteligência adjuvante. Ela dirige todas as operações dos sete planetas e das suas divisões.

As 50 Portas da Inteligência

Assim como os 32 Caminhos da Sabedoria, emanados da *Chokmah*, se espalham no círculo das coisas criadas, também de *Binah* se abrem 50 Portas que conduzem a esses Caminhos.

Chamam-se Portas porque, segundo os cabalistas, ninguém pode chegar a uma noção perfeita dos referidos Caminhos sem ter entrado por estas estradas que conduzem ao uso prático dos Caminhos da Sabedoria.

As 50 Portas da Inteligência dividem-se em seis classes: as quatro primeiras constam, cada uma, de dez Portas, a quinta tem nove, a sexta uma só.

1ª CLASSE – PRINCÍPIOS DOS ELEMENTOS

1 – Matéria-prima, *Hile*, caos.
2 – Vazio e inanimado: o que é sem forma.
3 – Atração natural, o abismo.
4 – Separação e rudimentos dos elementos.
5 – Elemento terra não contendo ainda semente nenhuma.
6 – Elemento água agindo sobre a terra.
7 – Elemento ar exalando do abismo das águas.

8 – Elemento fogo secando e vivificando.
9 – Figuração das qualidades.
10 – Sua atração para a mescla.

2ª CLASSE – DÉCADA DOS MISTOS

11 – Aparição dos minerais pela disjunção da terra.
12 – Flores e sucos estabelecidos pela geração dos minerais.
13 – Mares, lagos, flores segregadas entre os alvéolos (da terra).
14 – Produção das ervas e árvores: a natureza vegetante.
15 – Forças e sementes dadas a cada espécie.
16 – Produção da natureza sensível. Isto é:

17 – Insetos e Répteis,	com suas propriedades específicas
18 – Peixes,	
19 – Aves,	
20 – Quadrúpedes.	

3ª CLASSE – DÉCADA DA NATUREZA HUMANA

21 – Produção do homem.
22 – Limo da terra de *Adamah*, matéria.
23 – Sopro de vida, alma.
24 – Mistério de Adão e Eva.
25 – Homem-Todo, microcosmo.
26 – Cinco faculdades externas.
27 – Cinco faculdades internas.
28 – Homem-Céu.

29 – Homem-Anjo.
30 – Homem-Imagem e Semelhança de Deus.

4ª CLASSE – ORDEM DOS CÉUS, MUNDO DAS ESFERAS

31 – Céu da Lua.
32 – Céu de Mercúrio.
33 – Céu de Vênus.
34 – Céu do Sol.
35 – Céu de Marte.
36 – Céu de Júpiter.
37 – Céu de Saturno.
38 – Céu do Firmamento.
39 – Céu do Primeiro Móvel.
40 – Céu do Empíreo.

5ª CLASSE – AS NOVE ORDENS DE ANJOS, O MUNDO ANGÉLICO

41 – *Kherubim* (anjos).
42 – *Benei Eloim* (arcanjos).
43 – *Eloim* (principalidades).
44 – *Malakhim* (potências).
45 – *Seraphim* (virtudes).
46 – *Hashemalim* (dominações).
47 – *Aralim* (tronos).
48 – *Ophanim* (querubins).
49 – *Haioth ha-khadosh* (serafins).

6ª CLASSE – AIN-SOPH, O INFINITO, ARQUÉTIPO

50 – DEUS, o Bem Supremo, Aquele que o homem mortal nunca viu. É a Quinquagésima Porta, à qual Moisés não chegou.

A COSMOGONIA DE MOISÉS

GÊNESIS

Capítulo I

1. No princípio, criou Eloim a Coletividade das Divinas Potências, a essência do Céu e da Terra.*

2. Mas a terra não existia ainda senão em contingência e potência;** a escuridão encobria a face do infinito, e o Espírito Divino vibrava sobre as águas,*** (isto é, sobre a matéria-prima homogênea).

3. E disse Eloim: "Haverá luz (espiritual)", e houve luz.

4. E considerando Eloim esta essência luminosa como boa, determinou um meio de separação entre a luz e as trevas.****

5. E chamou Eloim à luz *dia* (manifestação fenomênica positiva), e às trevas chamou *noite* (manifestação negativa). E tal foi a *concepção* e a *realização* do

---

* Céu, ShaMAIM, significa a estabilidade (Sh) da matéria-prima (MaIM). Terra, AReTs, é o eterno (Ts) do movimento (AR). Podemos comparar este ato da divindade com a idealização de um círculo: o ponto central representa o céu, e a circunferência a terra.

** A circunferência não estava traçada.

*** Pela palavra águas (MaIM), Moisés designa a matéria-prima, homogênea, ainda não diferenciada.

**** A luz de que se trata aqui (AOR) é o elemento da inteligência; as trevas (ChOSheKh) são a vida latente (Ch, vida; ShK, latente).

primeiro dia cósmico, isto é, da primeira manifestação fenomênica.

6. E disse Eloim: "Haverá uma esfera da rarefação no centro das águas (da matéria-prima), e haverá uma força operando separação entre águas e águas", produzindo assim diferenciação na matéria até então homogênea.

7. E fez Eloim a *essência* dessa esfera de rarefação, e produziu uma separação entre as águas (etéreas) que estavam abaixo e as que estavam acima da esfera de rarefação. E assim foi.

8. E chamou Eloim à esfera de rarefação *céu* (o que significa); e tal foi a concepção e a realização do segundo dia cósmico, isto é, da segunda manifestação fenomênica.

9. E disse Eloim: "As águas (etéreas) que estão debaixo do Céu confluirão a um só lugar, e aparecerá a aridez". E assim foi.

10. E chamou Eloim à aridez *terra* (termo do movimento), e à confluência das águas chamou *mares* (manifestação do elemento plástico e formador). E considerando Eloim estas coisas, viu que eram boas.

11. E disse Eloim: "A terra fará vegetar erva vegetante e germinante de um germe inato, e uma substância frutífera que dê frutos segundo a sua espécie, cuja semente estará nela, sobre a terra". E assim foi.

12. A terra produziu, pois, do seu seio, erva vegetante e germinante de um germe inato, e uma substância frutífera, possuindo em si a semente segundo a sua espécie. E Eloim viu que assim era bom.

13. E tal foi a concepção e a realização do terceiro dia cósmico.

14. E disse Eloim: "Haverá na esfera rarefeita do Céu focos de luz destinados a produzir a separação entre o dia e a noite, e servirão de sinais do futuro e para as divisões temporais, e para as manifestações fenomênicas universais e para as mudanças ontológicas dos seres.

15. E constituirão centros de luz na esfera rarefeita do Céu, para fazer resplandecer a luz sobre a Terra". E assim foi.

16. E fez Eloim a essência do par dos grandes focos luminosos: a essência do foco maior para ser símbolo e modelo do dia (manifestação positiva), e a essência do foco menor para ser símbolo e modelo da noite (manifestação negativa); como também a essência dos astros (que são as faculdades virtuais do universo).

17. E Eloim os pôs na esfera rarefeita do Céu para fazerem resplandecer a luz sobre a Terra.

18. E para servirem de modelos de dia e de noite, e para operarem a separação entre a luz e as trevas. E viu Eloim que assim era bom.

19. E tal foi a concepção e a realização do quarto dia cósmico.

20. Disse depois Eloim: "As águas produzirão, em grande abundância, uma produção vermiforme, possuindo o sopro de vida, e aves que voem sobre a Terra na esfera rarefeita do Céu".

21. E criou Eloim a existência potencial dessas imensidades corporais, legiões de monstros marinhos, e a existência potencial de toda alma animal, animada de um movimento reptiforme, que as águas produziram abundantemente, conforme as suas espécies; e considerando estas coisas, viu Eloim que eram boas.

22. E Eloim os abençoou, dizendo: "Frutificai e multiplicai-vos, e enchei as águas dos mares; e a espécie volátil se multiplicará na Terra".

23. E tal foi a concepção e a realização do quinto dia cósmico.

24. E disse Eloim: "A terra produzirá do seu seio o princípio vital conforme a sua espécie: quadrúpedes e répteis, e toda animalidade, conforme a sua espécie". E assim foi.

25. Determinou, pois, Eloim a existência potencial dessa animalidade terrestre, conforme a sua espécie, e a dos quadrúpedes, conforme a sua espécie, e a de todo movimento vital do elemento adâmico.* E viu Eloim que era bom.

26. E disse Eloim: "Faremos Adão** (o Homem Universal) à nossa Imagem refletida, segundo as leis da nossa ação assimilante; e dominarão*** sobre os peixes dos mares, e sobre as aves do céu, e sobre o gênero quadrúpede, e sobre toda a Terra e todas as criaturas que se movem na superfície da Terra".

27. E criou Eloim a existência potencial de Adão, o Homem Universal, à Imagem Divina o criou; e criou a sua coletividade masculina e feminina.

28. E abençoou Eloim a sua existência coletiva e disse: "Frutificai e multiplicai-vos, e enchei a Terra, e sujeitai-a; e dominai sobre os peixes dos mares, sobre as

---

* *Adamah*, elemento adâmico, o mundo destinado ao Homem Primordial.

** O reino hominal, a humanidade.

*** O original usa o verbo no plural, para indicar que Adão não designa um só homem, mas a humanidade inteira.

aves do céu e sobre todo animal que se move na superfície da Terra".

29. E continuou Eloim, dizendo: "Eis que vos tenho dado toda a erva germinante de um germe inato, que está na superfície da Terra inteira, assim como toda substância vegetal em que há fruto; toda substância vegetal que tem em si sementes vos servirá de alimento.

30. E a toda animalidade terrestre, a toda espécie volátil e a todo ser reptiforme que se move na terra e possui em si o princípio inato de um sopro animado da vida, tenho dado a totalidade da erva verdejante para servir de mantimento". E assim foi.

31. Então, considerando Eloim todas as coisas que tinha feito em potência, viu que eram muito boas. E tal foi a concepção e realização do sexto dia cósmico.

Capítulo II

1. Assim foram acabados em potência os Céus e a Terra, e a lei reguladora que devia dirigir o seu desenvolvimento.

2. E Eloim, havendo dado, no sétimo dia cósmico, a perfeição ao ato soberano que tinha concebido, voltou ao seu estado primitivo neste sétimo período, depois de ter acabado a sua obra majestosa.

3. Por isso, abençoou Eloim esta sétima manifestação fenomênica e santificou a sua existência simbólica por ser a época de sua volta ao estado primitivo, depois do perfeito acabamento da obra soberana que tinha resolvido fazer.

4. Tal é o tipo das gerações do Céu e da Terra, segundo o modo de sua Criação, no dia em que IEVE Eloim, o Ser Eterno e Altíssimo, fez a *essência* da Terra e do Céu.

5. E tal é a concepção da natureza, antes que esta existisse sobre a Terra, e sua força vegetativa antes que houvesse brotação; porque o Ser Eterno e Altíssimo não tinha ainda feito chover sobre a Terra, e o Homem Universal não existia ainda em substância concreta, para cultivar a *Adamah*.

6. Mas uma emanação etérea subia da Terra e saturava de energia toda a superfície da *Adamah* (esfera destinada a Adão).

7. E IEVE Eloim, o Ser Eterno e Altíssimo, tendo formado a substância de Adão da sublimação das partes mais sutis do elemento adâmico, inspirou na sua faculdade respiratória uma essencialidade das vidas, e Adão, o Homem Universal, foi feito uma semelhança da alma vivente.

8. E traçou IEVE Eloim um circuito de atividade orgânica na esfera do Éden, isto é, da Perpetuidade, extraída da anterioridade universal dos tempos, e ali colocou este Adão que tinha formado.

9. E o Ser Eterno e Altíssimo fez crescer do elemento adâmico toda espécie de substância vegetativa agradável à vista e boa para ser apropriada, e fez que o princípio substancial das vidas se desenvolvesse no centro do circuito de atividade orgânica, com a substância própria do bem e do mal.

10. E uma emanação luminosa como um vasto rio, corria da esfera da perpetuidade, para vivificar o circuito de atividade orgânica, e dividia-se ali e aparecia em quatro correntes fluídicas.

11. O nome da primeira é Phishon, isto é, a realidade física que rodeia toda a terra de Chavilah, isto é, do trabalho enérgico, lugar onde nasce ouro.

12. E o ouro dessa terra é bom. Ali também é o lugar da diferenciação e da sublimação universal.

13. O nome da segunda corrente é Gihon, o movimento formativo; este rodeia toda a terra do Khush, o princípio ígneo e molde de existência.

14. O nome da terceira corrente é Hiddekel, o rápido propagador (fluido magnético e elétrico), que serve de veículo ao princípio da felicidade. E a quarta é Phrath, a fecundidade.

15. E tomou IEVE Eloim o Homem Universal e colocou-o na esfera orgânica da Perpetuidade, para a cultivar e guardar.

16. E ordenou IEVE Eloim, o Ser Eterno e Altíssimo, a Adão: "De toda substância vegetativa da esfera orgânica podes alimentar-te.

17. Mas da substância própria do conhecimento do bem e do mal não faças uso, porque no dia em que dela fizeres uso tornar-te-ás mudável, e morrerás passando a outro estado de existência".

18. Depois, disse IEVE Eloim: "Não é bom que o Homem Universal esteja na solidão de si mesmo. Far-lhe-ei uma ajudadora, formada do reflexo luminoso dele mesmo".

19. Havendo, pois, IEVE Eloim formado do elemento adâmico toda a animalidade da natureza terrestre, e todas as aves do céu, trouxe-as a Adão para ver como lhes chamaria; e todos os nomes que Adão deu a essas espécies de almas viventes foram as expressões das suas relações.

20. Assim deu Adão nomes a toda espécie de quadrúpedes, às aves do céu e a toda animalidade da natureza, mas para ele, o Homem Universal, não se achava ajudadora que fosse como um reflexo luminoso dele mesmo.

21. Então IEVE Eloim fez cair um profundo sono magnético sobre este Homem Universal, de modo que

Adão adormeceu, e o Ser Eterno e Altíssimo tomou uma das imagens mentais com que este sonhava, e revestiu de forma e beleza corporal a sua base.

22. Depois consolidou a essência desse produto de imaginação que tinha extraído de Adão, fazendo dela a sua esposa intelectual* e a trouxe para ele.

23. E disse Adão: "Esta é, verdadeiramente, substância de minha substância e forma de minha forma". E assim foi por causa do princípio volitivo *Aish*, do qual tinha sido tirada sua substância, chamada *Aishah*.

24. Portanto, deixará o homem seu pai e sua mãe, e se unirá com a sua mulher, e ambos formarão um só ser.**

25. E ambos estavam nus, Adão e sua companheira, e não se envergonhavam.

---

* *Aishah* significa a faculdade volitiva eficiente.

** Os versículos 24 e 25 parecem ser interpolações posteriores, porque não são do estilo de Moisés.

Capítulo III

1. Ora, a Concupiscência* era a principal paixão no meio de toda animalidade da natureza elementar que IEVE Eloim, o ser Eterno e Altíssimo, tinha feito. Ela disse a Aishah (a faculdade volitiva de Adão): "É assim que Eloim vos disse: 'Não vos alimentareis de toda substância da esfera de atividade orgânica'?".

2. Aishah respondeu à Concupiscência: "Nós podemos, sem medo, alimentar-nos dos frutos substanciais da esfera orgânica.

3. Só quanto ao fruto da substância que está no centro desta esfera, Eloim nos disse: 'Não devereis vos alimentar dela; não aspireis a ela, se não quereis morrer inevitavelmente'".

4. Então a Concupiscência disse a Aishah: "Não, certamente não morrereis.

5. Porque Eloim sabe que, no dia em que vos alimentardes desta substância, os vossos olhos se abrirão, e sereis como Ele, conhecendo o bem e o mal".

---

* *Nahash*, traduzido vulgarmente como Serpente, é a Concupiscência.

6. E considerou Aishah* que aquela substância era boa para ser experimentada e agradável aos olhos, e muito desejável para alargar o entendimento; e tomou do seu fruto e com ele se alimentou, e deu também com intenção a Aish, o princípio intelectual, com quem estava unida, e ele se alimentou.

7. Então foram abertos os olhos de ambos, e conheceram que estavam despidos de luz; e cobriram-se com um véu de tristeza, e fizeram para si mantos de peregrinos.

8. E ouviram a voz de IEVE Eloim, o Ser Eterno e Altíssimo, penetrando a esfera da atividade orgânica, com o sopro espiritual da luz do dia. E o Homem Universal escondeu-se da vista do Ser Eterno e Altíssimo, com Aishah, sua faculdade volitiva, no centro da substância mesma daquela esfera.

9. Mas IEVE Eloim fez-se ouvir a Adão e disse-lhe: "Aonde te levou a tua vontade?".

10. E Adão respondeu: "Ouvi a tua voz nesta esfera; e vendo que estou despido de luz, me escondi".

11. Redarguiu a Divindade: "Quem te mostrou que estavas assim desnudado, a não ser o uso daquela substância da qual te ordenei que não te alimentasses?".

13. E disse Adão: "Aishah, a esposa intelectual que me deste, ofereceu-me desta substância, e eu me alimentei com ela".

---

* Não esqueçamos que Adão não é um homem de sangue, carne e ossos, mas um homem espiritual e universalmente concebido, um ser universal, e Aishah (Mulher Universal) é a faculdade criadora que realiza suas concepções, fazendo-as passar de potência ao ato, por meio da vontade.

13. Então dirigiu-se IEVE Eloim, a Aishah, dizendo: "Por que o fizeste?". E Aishah respondeu: "A Concupiscência me enlouqueceu, e alimentei-me".

14. Disse então o Ser Eterno e Altíssimo à Concupiscência: "Porque fizeste isso, maldita sejas no meio de toda a animalidade terrestre, e no meio de tudo o que vive na natureza; de conformidade com a tua inclinação tortuosa agirás baixamente, e de exalações elementares te alimentarás por todos os dias de tua existência.

15. E porei uma antipatia profunda entre ti e Aishah (a faculdade volitiva), entre a tua produção e a sua: esta comprimirá em ti o princípio do mal, e tu comprimirás nela as consequências".

16. E dirigindo-se a Aishah, a faculdade volitiva, disse: "Multiplicarei o número dos obstáculos físicos de toda espécie (opostos à execução dos teus desejos), e aumentarei o número das tuas concepções. Com trabalho e dor darás existência às tuas produções; a tua inclinação se dirigirá ao teu Aish, princípio intelectual, e ele te dominará".

17. E a Adão disse: "Porque deste ouvido à voz da tua esposa intelectual, e te alimentaste daquela substância, de que eu te ordenara que não devias alimentar-te, maldita seja a terra adâmica (homogênea e semelhante a ti) por tua causa. Com trabalho penoso te alimentarás dela por todos os dias da tua existência.

18. Espinhos e cardos te produzirá, e teu alimento serão frutos ásperos da natureza elementar.

19. Em contínua agitação do teu espírito comerás o pão até o momento de tua reintegração no elemento adâmico, pois como foste tirado deste elemento, e és uma

emanação espiritual dele, assim é que a esta emanação deves voltar".

20. Então Adão, o Homem Universal, deu a Aishah, sua faculdade volitiva, o nome de Heva, existência elementar, porque era a mãe de todos os viventes.

21. E fez IEVE Eloim, a Adão e sua esposa intelectual, uma espécie de corpos de defesa, e vestiu-os com eles.

22. E disse IEVE Eloim, o Ser Eterno e Altíssimo: "Eis que Adão, o Homem Universal, é como um de nós, sabendo o bem e o mal". Então, para que não estendesse este homem a mão e para que não tomasse também do princípio substancial das vidas, com que se alimentaria e viveria eternamente,

23. IEVE Eloim isolou-o da esfera orgânica da Perpetuidade, para que cultivasse o elemento adâmico, do qual tinha sido tirado.

24. E havendo afastado esse mesmo Adão, fez residir desde os tempos mais remotos, na esfera da Perpetuidade, um ser coletivo, chamado Querubim, armado da chama incandescente da exterminação, para guardar o caminho da substância elementar das vidas.

Capítulo IV

1. E Adão, o Homem Universal, conheceu Heva, a existência elementar, como sua esposa intelectual, e ela concebeu e deu à existência Kain,* Forte Centralizador, e disse: "Formei por centralização um ser intelectual da essência de IEVE".

2. E ajuntou a esta produção a do seu irmão Habel,* Pacífico Libertador. E era Habel destinado a dirigir o desenvolvimento do mundo corporal, e Kain fez a IEVE uma oferta do produto do elemento adâmico.

3. Ora, foi da extremidade dos mares que Kain fez a IEVE uma oferta do produto do elemento adâmico.

4. E Habel ofereceu também das primícias do mundo que dirigia, e das mais eminentes qualidades das suas produções. E IEVE mostrou-se clemente a Habel e à sua oferenda.

5. Porém a Kain e à sua oferenda não se mostrou clemente. Isto causou a Kain muita ira, e as suas faces descaíram.

---

* Kain representa a força centrípeta, e Habel a força centrífuga; o primeiro é a centralização violenta, o segundo a libertação pacífica.

6. E disse IEVE a Kain: "Por que te iraste? E por que descaiu o teu semblante?

7. Não é verdade que, se bem fizeres, tens dele o sinal? Mas, se não fizeres bem, o pecado jaz à porta; e o seu desejo te trai, e tu te representas nele".

8. E falou Kain com seu irmão Habel; e estando ambos na natureza produtora, Kain, o violento centralizador, levantou-se com veemência contra Habel, seu irmão, o doce e pacífico libertador, e matou-o.*

9. E disse IEVE a Kain: "Onde está Habel, o teu irmão?". E ele respondeu: "Não sei, sou eu o guardador do meu irmão?".

10. E disse IEVE: "Que fizeste? A voz das gerações que deviam proceder do teu irmão, e lhe são homogêneas, chorando se eleva a mim do elemento adâmico.

11. Agora, maldito sejas, por este mesmo elemento, que abriu a sua boca para receber da tua mão as gerações homogêneas que deviam proceder do teu irmão.

12. Assim, quando trabalhares neste mesmo elemento adâmico, não dará a sua força a teus esforços. Agitado de um movimento de incerteza, serás vagabundo na Terra".

13. Então Kain disse a IEVE: "Maior é a minha iniquidade, do que qualquer purificação!

14. Eis que tu me expulsas hoje do elemento adâmico; hei de esconder-me da tua face, agitado de um movimento de incerteza, serei vagabundo na Terra. Assim, pois, quem me encontrar, me matará".

---

* A violência destrói a liberdade.

15. IEVE, porém, disse: "Quem pensar em destruir Kain, o Forte Centralizador, ao contrário, aumentará antes sete vezes a sua força".* Em seguida, IEVE pôs em Kain um sinal, para que ninguém o ferisse, encontrando-o.

16. E Kain se retirou de diante da face de IEVE, e foi habitar a terra do exílio, anterior à esfera da Perpetuidade.

17. E conheceu Kain a sua faculdade volitiva eficiente, e ela concebeu e deu existência a *Henokh*, representante da Força Central Consolidadora, e pôs-se a edificar um circuito esférico e fortificado, a que deu o nome do seu filho Henokh.

18. E foi este mesmo Henokh ou Consolidador que produziu a existência de *Hwirad*, Movimento Excitador. Hwirad produziu a existência de *Mehujael*, Manifestação Física. Mehujael produziu a de *Methushael*, Abismo Mortífero; e Methushael produziu a de *Lamekh*, o Laço Inflexível das coisas.

19. E Lamekh tomou para si duas mulheres, isto é, duas faculdades físicas: o nome da primeira era *Hwadah*, Evidente, e o da segunda, *Tsillah*, Obscura.

20. Hwadah deu a existência a *Jabal*, Princípio de Abundância, que é o pai dos que habitam em moradias fixas e elevadas e que conhecem a propriedade.

21. E Jabal teve por irmão *Jubal*, o Espírito de Alegria, pai daqueles que se dedicam às concepções luminosas e dignas de amor (as ciências e as artes).

---

* Por isso, Cristo aconselha a não opor resistência à violência, porque o espírito de violência cresce com a oposição.

22. E Tsillah deu também existência a *Thubalkain*, Propagador da Força Central, mestre das obras de bronze e ferro. E a irmã de Thubalkain foi *Nahwomah*, Associação.

23. E disse Lamekh a suas duas companheiras, Hwadah e Tsillah: "Ouvi a minha voz, esposas de Lamekh; prestai ouvido às minhas palavras: pois destruí a individualidade, para me dilatar e me estender; e destruí o espírito de descendência, para me construir em corpo de povo.

24. Assim, como foi dito que aquele que quisesse matar Kain, o Forte Centralizador, aumentaria sete vezes suas forças constitutivas, aquele que quiser matar Lamekh, o Laço Inflexível das coisas,* aumentará 77 vezes a sua potência ligadora".

25. Entretanto, Adão, o Homem Universal, conheceu ainda a sua faculdade volitiva eficiente, e ela deu existência a um filho a quem chamou *Sheth*,** o Fundamento, porque (disse ela) Eloim pôs em mim o fundamento de uma outra geração, emanada de Habel sucumbido, quando Kain o matou.

26. E Sheth também gerou um filho, e deu-lhe o nome de *Enosh*, Homem Consciente: e desde então começou a ter esperança e invocou o nome de IEVE.

---

* O Espírito de união universal, relações internacionais etc.

** *Sheth* representa o movimento (Sh) recíproco (Th), que é o fundamento ou a base da estabilidade das coisas.

Capítulo V

1. Este é o livro das simbólicas gerações de Adão,* do dia em que, criando-o, Eloim, conforme a sua ação assimiladora, determinou a sua existência potencial.

2. Criou-o como um ser coletivo, masculino e feminino (causa e meio); e, abençoando-o em sua coletividade, deu-lhe o nome de Adão, Homem Universal, no dia em que o criou.

3. E Adão, o homem primordial, existia há 130 anos, quando gerou um filho a que deu o nome de *Sheth*, Espírito de Reciprocidade e Fundamento da Estabilidade.

4. E viveu Adão, o homem primordial, ainda oitocentos anos depois de ter gerado Sheth, e produziu filhos e filhas (formações e agregações).

5. Assim, o número total dos dias da existência de Adão, o homem primordial, foi 930 anos, e passou.

6. Sheth, o Espírito de Reciprocidade e o Fundamento da Estabilidade, existia já há 105 anos, quando gerou *Enosh*, o Homem Consciente.

---

* Os nomes próprios designam aqui períodos característicos da humanidade, e não de indivíduos.

7. E existiu depois ainda 897 anos, e gerou filhos e filhas.

8. E foram todos os dias da existência de Sheth 912 anos, e passou.

9. Enosh, o Homem Consciente, existia há já 90 anos, quando gerou *Kainan*, o Espírito de Invasão.

10. E existiu depois ainda 815 anos, e gerou filhos e filhas.

11. Assim, o número total dos dias de Enosh se elevou a 905 anos, e passou.

12. E Kainan, o Espírito de Invasão, tinha setenta anos de existência, quando produziu *Mahollael*, Poderoso Esplendor.

13. E existiu depois ainda 840 anos, e gerou filhos e filhas.

14. E foram todos os dias da existência de Kainan 910 anos, e passou.

15. Mahollael, o Poderoso Esplendor, tinha 68 anos de existência, quando gerou *Ired*, Movimento Perseverante.

16. E existiu depois ainda 830 anos, e gerou filhos e filhas.

17. Assim, o número total dos anos de Mahollael foram 895, e passou.

18. Ired, o Movimento Perseverante, tinha 162 anos de existência, quando gerou *Henokh*,* o Espírito de Consolidação.

---

* Note-se que Henokh (Consolidação) já foi dado, no versículo 17 do cap. IV, como filho de Kain (Centralização).

19. E depois existiu ainda oitocentos anos, e gerou filhos e filhas.

20. Assim, o número total dos anos de Ired foram 962, e passou.

21. Henokh, o Espírito de Consolidação, tinha 65 anos de existência, quando gerou *Methushalach*,* o Espírito de Dissolução.

22. E Henokh, o Espírito de Consolidação, andou sempre com a Divindade, depois desta geração, e produziu filhos e filhas.

23. E foi o número de seus dias 365 anos.

24. E como continuou sempre a andar com a Divindade, cessou de existir, sem cessar de ser, porque Eloim, o Ser dos Seres, o retirou a Si.

25. Mathushalach, o Espírito de Dissolução, tinha 187 anos de existência, quando gerou *Lamekh*,** o Laço Flexível das coisas (que faz parar a dissolução).

26. E existiu depois ainda 682 anos, e gerou filhos e filhas.

27. Assim, todos os dias da existência de Methushalach foram 969 anos, e passou.

28. Lamekh, o Laço Flexível das coisas, tinha existido já por 182 anos, quando gerou um filho.

29. E chamou o seu nome *Noach* (ou Noé), o Repouso da Natureza, dizendo: "Este dará repouso à nossa existência, e aliviará os trabalhos, cujo peso insupor-

---

* MeTh, morte; UhC, confusão; LaCh, luta pela existência.

** Veja-se o cap. IV, vers. 14-8.

tável mata as nossas faculdades, por causa do elemento adâmico que IEVE amaldiçoou".

30. E existiu Lamekh ainda depois desta geração 595 anos, e gerou filhos e filhas.

31. E o número total dos dias de Lamekh foram 777 anos, e passou.

32. Noé, o Repouso da Natureza, era filho de quinhentos anos, quando produziu a existência de *Shem* (Elevação Brilhante), *Cham* (Curvação e Calor) e *Jopheth* (Extensão).